国家出版基金项目
NATIONAL PUBLICATION FOUNDATION

中国柯尔克孜族英雄史诗

ماناس

玛纳斯

第五部

赛依特

第二卷

居素普·玛玛依
演唱
《玛纳斯》汉译工作委员会
编译

新疆人民出版总社
新疆人民出版社

第 二 卷

女魔侵扰

肖尔阔勒部

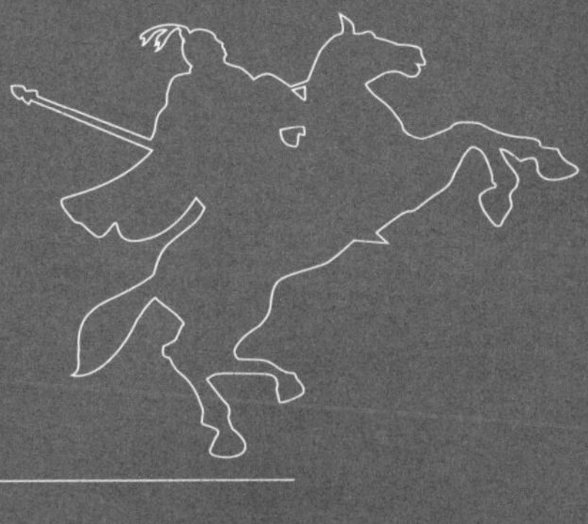

赛依特劝诫塔盘汗交出女魔

塔盘汗的信使来到赛依特面前，
陈述了塔盘汗请求的意愿：
“我们双方手握飘扬的战旗，
艰苦的鏖战已经进行了几天，
多少勇士战死倒地鲜血流干。
参战的人们又饥又饿疲惫不堪，
勇士们饿得眼花缭乱头昏目眩。

“如果你是一位真正的英雄，
如果你宽宏大量气度不凡，
是否能够停战歇息几天？
让我们的人马填饱肚子，
缝补好战袍和衣甲，
再把兵器修理和增添。
待士气恢复精神饱满，
我们再重回战场继续交战。

“究竟要休战多少天，
由你赛依特说了算。
塔盘汗派我前来，
向你表明他的意愿，
与你协商听听你的意见。”
信使不知道赛依特答不答应，
他心神不宁忐忑不安。

听信使说明了来意，
赛依特略作沉思，
然后从容地开了言，
这就是阿依阔勒子孙的胸襟，

比天还阔，比地还宽。

“你要把我说的一点一滴，
全都带给你们的首领塔盘汗。
只要他信守自己的诺言，
我给他四十天的时间。

“让他准备好足够的粮食和草料，
让士兵和马匹养足精神，
让他们不要带有遗憾地过来，
要下定拼死的决心来作战。
我给了他充足的时间，
不要让他内心留下一点儿遗憾。

“让他紧握手中的长矛，
带着真正的勇士和英雄作战。
不要带那些没有真本事的家伙前来送死！
劝他不要被女魔欺骗了，
否则他将失去一切，
留给自己的只有悔恨和长叹。

“让他千万要记住，
不要思虑不周轻易言战，
如果他执迷不悟继续交战，
他不可能活着回返。

“如果他双手贴胸，
俯首听命，
赛依特不会缴获他的战利品。
也不会让无辜的士兵血溅荒原。
即使他把宝座和王冠，
全部送给我，
我也不会接受。
我只要擒住女魔为民解难，
不擒拿住女魔，

赛依特誓不返回家园！

“女魔乔装打扮跟在他身边，
塔盘汗要小心一点，
不要被她的甜言蜜语蒙住双眼。

“等她缓过劲儿来，
就会露出残忍恶毒的嘴脸，
会把老百姓的血肉，
当作她口中的美餐。
我不能让她作恶，
让百姓蒙受苦难。

“如果塔盘汗还明智，
如果塔盘汗还有大汗的肝胆，
他就不该被狡诈的女魔诱骗，
轻信她的那些美丽谎言。
塔盘汗不能愧对父老乡亲，
听不进贤良的忠言。

“这个可恶的女魔，
在节迪盖尔柯尔克孜部落，
把生养她的父母无情地吞咽。
她吃光了山里的百姓和牲畜，
给一方水土带来了巨大的灾难！

“百姓无法忍受残害，
向我诉说，向我求援。
我与女魔交战数日，
她使出了种种魔法，
比毒蛇还要难纠缠。

“即使她施尽了各种魔法，
也还是力所不及，徒劳枉然。
她的木臼和木杵已被我收缴，

她的磨盘已被我砸碎，
她的炒麦棍已被我砍断。
她的擀面布也被我撕烂，
她的如意算盘已经失算，
她的全部魔法失去了灵验。

“她到处躲藏，逃避我的追赶，
遇到了塔盘汗，将他蒙骗。
肖尔阔勒从此失去了平静，
鲜血把荒漠浇灌。
多少勇士接连倒下，
多少无辜的人儿命丧黄泉。
多少孩子失去了父母，
很难再见到他们的笑颜。
许多妇女失去丈夫成了寡妇，
部落里飘荡着悲惨的哭喊。

“今天女魔蒙骗了塔盘汗，
明天她就会首先将他吞咽。
然后吃掉所有的百姓和牲畜，
用魔法称霸一方，
让天怒人怨！

“她生来心狠手辣，
使多少亲人遭受了苦难！
‘我要娶这位姑娘。’
那是塔盘汗的一厢情愿。

“如果塔盘汗不能迷途知返，
悲惨的结局就在眼前。
我在这里好心相劝，
请将我的话如实转告塔盘汗。

“我的话对他有益无害，
请他仔细掂量，

将是非明辨！”

信使听了这番话，
陷入了沉思，
久久不再开言。
“听老人们说不讲假话，
是英雄自古以来的习惯。
今天我算是见识了，
果然名不虚传！”
他低垂着头回到塔盘汗面前。
当着众多英勇的将士，
把赛依特所讲的话，
一字不漏地转述给了塔盘汗。

将士中有一人叫巧依托隆，
他足智多谋，
有几分远见。
他迈前一步，
大胆地对塔盘汗进言。

“塔盘汗，我的大汗，
你要冷静地听一听我的相劝。
躲到这里的不是姑娘是个妖精，
我们已经多次听到这样的传言。

“以前阔努什拜曾说过，
我们没有相信，
把这话撇在一边。
英雄赛依特的劝告，
我们不能置之不理。

“我的汗王，
你不要再自以为是固执己见，
到时候追悔莫及，
留下终身遗憾。

“赛依特是个讲真话的英雄，
他不会将我们欺骗。
他的劝告真实可靠，
不像是骗人的谎言。

“啊，塔盘汗，
我统领一方百姓的大汗，
你和赛依特本来就没有仇怨。
你与赛依特对抗，
我们失去了多少勇士，
鲜血染红了戈壁荒滩。

“不算托托依勇士，
我们共有五十二名勇士，
他们都是威震一方的英雄好汉。
假若在戈壁滩上打猎，
每人能捕获两只老虎凯旋。
如果算托托依在内的话，
四十八名勇士的脖颈已被赛依特砍断。

“本来你拥有十万大军，
你的部众盼望着长治久安。
你的士卒像熊熊的烈火，
你的勇士个个英勇强悍，
他们有能力消灭任何敌人，
任何敌人都不敢贸然侵犯。

“你拥有十万大军，
如今只剩下不到六万。
四万多无辜儿郎，
与赛依特交战中命丧荒原，
你刚刚还为失去的勇士伤心不安。

“就算你是一位骁勇善战的勇士，

就算你能再战两天，
失败的结局也难以改变，
百姓将受到战祸的熬煎！
等你感觉事情不妙时，
只好奔向库特嘎尔巴斯请求支援。

“过去你和他平起平坐，
现在你却到他那儿避难。
我们跟在你的后面，
就像马背上倾斜的行囊一般。
库特嘎尔巴斯年轻你年老，
你心中那位姑娘的心会偏向他那边。

“几十位勇士的生命，
近十万士卒的鲜血枉洒荒原。
‘我要娶这个美女。’
看来只是水中捞月的一场虚幻。

“你得不到你的所谓美女，
却失去了亲人的信任和依恋，
失去自己的黎民百姓，
痛苦会与你终身相伴。

“噢，塔盘汗，
你会被侮辱，
库特嘎尔巴斯会当着你的面，
夺走你的姑娘，
你的心会在痛苦的烈焰中熬煎。
你曾经是不可一世的首领，
不要到那时再懊悔难眠，
活活把肠子悔断！

“那个傲然挺立的赛依特，
不是一般的好汉。
哪怕一个库特嘎尔巴斯变成十个，

哪怕他宽得如戈壁一般，
哪怕他深得像盐湖一般，
赛依特也不会把他放在眼里，
会把他看得比自己的裤脚还低贱。

“赛依特会轻易地战胜他，
把我们都踩在他的脚板下面。
也许他会放你一条生路，
让你面对死去的勇士和士兵，
让你领悟他的勇猛威严，
让你的心灵日夜难安。
我所说的都是真话，
请你不要怀疑，
请你思量再三！”

巧依托隆把话说完，
场面上一片安静。
听了这些话的将士们，
个个低头沉思，
全场鸦雀无声，
无一人开言。

得知休战四十天，
聚集的人们很快踏上了回程。
“应该把逃跑的姑娘交给赛依特”，
大家在私下这样议论。
塔盘汗回到家里，
命人将妖娆的姑娘召进帐中，
他想再探一探姑娘的内心。

女魔搬弄是非
巧依托隆被迫出走

塔盘汗派人叫来了狡诈的女魔，
是她给百姓带来了这场灾难。
她面色苍白，心神不安，
悄无声息地缓缓走进来，
虚情假意地坐在塔盘汗身边。

其实她早就知道了信使带来的消息，
她曾经神不知鬼不觉地暗中窥探。
她还悄悄地偷听过，
巧依托隆揭露她的那些语言。

她斜眼看了塔盘汗一眼，
声调温柔地慢慢开了言：
“脚不方便的人寻拐杖，
我离开家乡到处漂泊，
千里迢迢投奔到你身边，
盼着你能做我的拐杖。

“我看重你大汗的地位，
我愿意把自己的一切，
毫不保留地献给你。
如果你肯接受我，
如果你为我雪耻，
我就让你搂着我的脖子。

“我像熟透了的西瓜，
等待着采摘的时节。

“再说那个赛依特，

难道他是一只雄狮，
难道他天下无敌？
他孤军作战已经很久，
还能有多少气力撑下去？

“不要像个女人似的说了一堆闲话，
怎么一点也不知羞耻？
如果他还有勇气和力量，
怎能对精疲力竭的你们，
慷慨地给四十天的期限？

“他想逃离又不敢逃离，
只好动用心思施展诡计，
在没有办法的情况下，
故意拖延时间，
寻找逃跑的时机。

“‘一旦被库特嘎尔巴斯占领，
塔盘汗会失去一切。’
这是他在挑拨离间，
不要听信他的谎言，
中了他的诡计！

“‘两个人都是这么说的，
那一定是真的。’
巧依托隆和阔努什拜，
他们对你没安好心，
你千万不要听他们胡言乱语！

“千万不要中巧依托隆的阴谋诡计，
如果你和库特嘎尔巴斯合作，
就像密密的树林，
叶连着叶，根连着根。
如果两部联合在一起，
就会拥有无穷的力量，

能够击垮任何强敌。
赛依特和巧依托隆，
还能有什么鬼主意坏点子！

“无论是年老的，
还是年轻的，
人人都有爱的权利。
自从见到你，
塔盘汗啊，
我的心里就对你燃起了浓浓的爱意。

“不要听那些不三不四的话，
不要心旌晃动，
失去主意。
如不除掉巧依托隆，
他会使部落民心分离。

“至于那个赛依特，
如果他不招惹是非把灾难降临，
谁不爱他这样的男子？！
但我真的不喜欢他，
我仔细打听过他的底细。
他虽然正当韶光年华，
但早已娶了媳妇并非未婚男子。
我一个黄花闺女，
怎能委身于他，
我对他只是多看了一眼并没有搭理。

“他杀死了多少无辜的人，
都是因为我投身于你。
他的心中燃烧嫉妒之火。
他像一个女人似的对你唠叨不息，
还想离间你我让我们分离。

“说我是女魔，

说我会把人活活生吃。
我要吃的就是赛依特，
我要把他的心脏吞噬！

“我所说的都是实情，
没有一丁点儿可怀疑的隐情！
如果他的心不在我身上，
他怎么会成天跟在我身后，
与我形影不离？
没有产生一点爱的火花，
一个人怎么会走进另一个人心里？

“长辈们曾经说过：
‘只有钟爱的人才是爱人。’
对于男人和女人，
这句话说得很切实。
如果我爱上了赛依特，
我怎么会跑来这里要嫁给你？

“不错，
赛依特年轻，你年老，
如果姑娘真的爱上了谁，
看重的不是对方的年纪。
你虽然年老却有着迷人的魅力，
因此我一心一意要嫁给你，
只有你才是我心中的唯一！”

女魔滔滔不绝地说着，
说得塔盘汗心醉神迷不能自已。
女魔用一番巧妙的话语，
征服了心高气盛的塔盘汗。
她滔滔不绝地说着，
那话语没完没了就像绵绵的阴雨。

“巧依托隆提到的库特嘎尔巴斯，

如果他用月亮磨过牙齿，
如果他是勇猛的雄狮，
如果他威震四方，
就让他率领十万大军，
来对付赛依特这样的勇士。

“我钟情于你，
愿陪伴在你身边，
和你永不分离。
如果你帮我消灭了我的敌人，
我会尽心尽力，
好好服侍你。
我的勇士！
我的话你要仔细想想，
好好地放在心底！

“赛依特践踏了我的领地，
想置我于死地。
因为我会八十二变，
就说我不是姑娘，
是女魔变的。

“你的百姓也这样想，
让我百思不解其意。
我坐卧不宁，茶饭不思，
我的面容因此消瘦了许多。
谁想要这样的生活，
让人感觉好生无奈，
只有暗生闷气！

“塔盘汗啊，
你要管管巧依托隆，
否则，终有一天，
你的部落将风云突变。
你是我所爱的人，

到那时你不要怪我，
没有及时提醒过你！”

阴险的女魔，
对巧依托隆施展毒计。
由于她的挑拨，
塔盘汗对巧依托隆多了一层疑虑。

“被赛依特消灭了多名勇士，
这个倒算不了什么。
令人感到不安的是，
你的士兵和民众，
现在都跟在巧依托隆身影后边，
议论纷纷，指指点点。
他们讨好赛依特，
让你孤军无援；
他们制造谣言，
让你军心涣散！

“像巧依托隆这样的人，
出现在你的身边，
战场上的局势怎么会有好转，
这样下去失败就在眼前！

“内心的忧伤最能摧残人，
内部出现了吃里爬外的内奸，
这样的事情最最危险。
对巧依托隆这样的人，
你必须引起注意多加小心！

“库特嘎尔巴斯是位汗王，
他的势力非常强大，
你不可轻看。
当你的百姓遭受攻击，
你就贸然去向库特嘎尔巴斯求援，

这样的想法我不能称赞。

“啊，塔盘汗，
你不敢与赛依特交战，
轻易地向库特嘎尔巴斯求援，
如果是这样，
士兵和百姓怎能跟着你勇敢向前？！
‘我说到就要做到！’
这才是你汗王的气质和肝胆。

“对巧依托隆，
一定要严加惩办，
决不能手下留情。
‘如果我失去了巧依托隆，
就没人给我出谋划策，领兵冲锋。’
这样的想法是很危险的。

“你的身边还有足智多谋的我！
虽然我是一个女人，
无论你遇到什么样的困难，
我都可以帮你想出对策，
我都会让你走出困境。

“我敢与赛依特比试高低，
我与柯尔克孜人结下了深深的仇恨，
在人仰马翻血流成河的搏杀中，
我能从容应对，镇定自若！

“啊，塔盘汗，
我所爱的人，
你就是一座山峰！
有我与你并肩而立，
什么样的对手不能战胜？
如果我的话你也不听，
我们将会一事无成！

如果我对你有什么坏心，
我会受到神灵的严惩！
如果你想获得百姓的心，
就要除掉巧依托隆。”

听了狡诈的女魔的话语，
塔盘汗的脸色开始变得凝重：
“赛依特的话也许是真的，
也许她就是个女魔，
为了活命才装扮成姑娘。

“我不愿这些是真的，
我相信她不会将我欺瞒。
我愿相信她是美女，
由我来尽情享用。

“巧依托隆说她是女魔，
如果我仅凭此把巧依托隆杀掉，
我要考虑百姓们是否口服心服。
我的百姓由四个部落组成，
被赛依特歼灭了两个部落的首领。

“如果我刁难巧依托隆，
如果要我找他话里的毛病，
‘我会被塔盘汗剪除。’
巧依托隆必然会起疑心。
巧依托隆还掌管着他的部落，
如果清除了巧依托隆，
半数百姓会背叛我，
我的部落就会分崩离析。

“如果巧依托隆投奔赛依特，
我塔盘汗哪能躲得过去，
这一场灭顶的厄运？
常言说：咬一个指头，

十个指头都会疼。
唉！让我如何定夺，
这真是个头痛的事情！”

塔盘汗坐在那里不停地叹息，
像雨中的山羊打着喷嚏。
如何对待美女和巧依托隆，
这使塔盘汗陷入了艰难的选择。

“因为与赛依特交战，
我失去了众多百姓，
也失去了许多勇士。
如果我去投奔库特嘎尔巴斯，
他年轻，我年老，
是否连到手的美女都会失去？

“如果因为这些事情，
让我失去了脸上的光彩，
败坏了我享有的声誉，
到世界末日那一天，
我身后会不会有闲话，
说我塔盘汗没有本事……”

他辗转反侧，
不知如何是好。
像挨了打的妇人似的唉声叹气。
没有了胡须的塔盘汗，
像老妇人的下巴光秃秃的。
塔盘汗想了很长时间，
左右为难，没了主意。

这时候，
阴险的女魔，
紧裹着衣服走了进来。
她的表情变化多端，

脸色显得有一些苍白：
“被敌人追击的时候，
塔盘汗，我投奔了你！
我来自遥远的节迪盖尔，
带着满心的忧愁，
我在途中遇见了你！

“我不愿嫁给赛依特，
陷入了苦难的境地。
一个男人为了自尊，
可以与敌人血战到底。
可是塔盘汗，
你没有这样的魄力。
一个女人为了自尊，
会把丧服穿起，
你看看，我心中的可汗，
我就有这样的勇气！

“巧依托隆正在寻找时机，
想要投奔赛依特。
他想娶我，
这才是他真正的目的。

“巧依托隆想夺取你的汗位，
这是他蓄谋已久的事！
一旦巧依托隆登上汗位，
肖尔阔勒所有的领地就都是他的了。

“到那时巧依托隆野心膨胀，
就会打库特嘎尔巴斯的主意。
他会向赛依特求助，
因此他挖空心思，
离间你我的关系。
他会引诱赛依特，
和库特嘎尔巴斯试比高低。

“赛依特如果与库特嘎尔巴斯交战，
至少持续五年才能分出高低。
这期间，巧依托隆会用许多心思，
最终达到自己的目的。
‘肖尔阔勒的汗王是巧依托隆！’
族人中永远会这样传颂他的名字。
你的名字——塔盘汗，
就会在部族中慢慢消失！

“既然你坐在汗王的宝座上，
就该让大众明白，
肖尔阔勒的汗王是你，
你的地位和权威是不可动摇的！
就应该派人捉拿巧依托隆，
然后用绳索把他勒死。

“你要用严厉的语言，
对待所有的民众和兵士。
在巧依托隆的家乡再捉拿三五十人，
将他们一一处死。
让百姓从此胆战心惊，
谁也不敢违抗你的旨意！

“你做完这些动人魂魄的大事，
然后告知库特嘎尔巴斯，
他会立即调来兵马，
组成一支队伍强大无敌。

“你要让所有的百姓和士兵唯命是从，
你就要说到做到，说一不二。
我也会像幼小的羚羊一般，
看着你的眼色，
时时事事随你而行，
与你形影不离。

“到了那个时候，
你的威望要高过库特嘎尔巴斯，
你像草原上的雄狮一般威严无比。
我的汗王啊，
愿你能听取我的忠言，
牢牢地把它记在心里！”

这个黑云般凶恶的女魔，
给肖尔阔勒百姓带来一场灾难。
这个狡诈的女魔，
实际年龄已超过四十，
但在塔盘汗的眼里，
她比世间最美的姑娘还要娇艳。

像一只老羊似的，
瞪着眼睛的塔盘汗；
从未刮过脸似的，
胡子拉碴的塔盘汗；
不知自己年纪已老，
自鸣得意的塔盘汗。

不停地晃着脑袋，
趾高气扬的塔盘汗；
长长的衣服没有袖子，
笨手笨脚的塔盘汗；
裤子长得拖在地上，
邋里邋遢的塔盘汗。

像被马踩着了的青蛙一样，
半死不活的塔盘汗；
身体强壮，头脑简单，
粗鲁愚蠢的塔盘汗；
胡乱扯着自己的衣襟，
缺少主见的塔盘汗；

将女魔当作亲人，
头脑简单轻易受骗的塔盘汗。

狡诈女魔的话儿，
一半是陷阱，
一半是谗言。
然而鬼迷心窍的塔盘汗，
却分不清是非黑白。
“她给我出了个好主意。
我要按她的话去做，
我手下的百姓绝对不会分离，
我的士兵会变得天下无敌。”
他心里暗自欢喜。

他赶紧召来传令兵，
“让巧依托隆过来！”
他发出命令，
要手下立刻去办。

他的那些传令兵，
甩开手脚奔跑着执行他的命令，
他们不顾一切地来到了巧依托隆家里，
“汗王让你去见他！”
来者毫不客气地说明来意。

年轻的巧依托隆，
是个俊朗的小伙子。
他挺拔的身躯，
筋骨有力，平时话少，
表情温和，待人有礼。

他的嘴唇有点干裂，
像是有点心急起火似的。
百姓都很敬重他，
没有人敢对他无礼。

当听到来人粗声粗气的传话，
他整理好穿戴准备出门时，
同母异父的兄弟塔孜哈拉，
突然伸出手臂加以阻止。

“听说塔盘汗要召见你，
你还没来得及把衣服穿戴整齐，
这样匆忙地去见汗王，
是不是有点失礼？

“‘塔盘汗要娶的老婆是一个女魔。’
这是昨天你说的话语。
你去了是否能活着回来？
如果你在那里被他杀害，
你该向谁诉说冤屈？

“‘巧依托隆想从这里逃跑，
是他煽动百姓分离。’
那女魔可能会在背后这样那样捣鼓，
塔盘汗认为她言之有理，
急匆匆地派人把你叫去他那里。
你的汗王是好心还是恶意，
我们先要弄清楚分辨仔细。

“‘今天我很忙，
难以走开，
收拾一下行囊，
明天我再前去。’
你这样回答他们，
看看他们的反应再见机行事。
如果听信了那个女人的挑拨，
如果你的汗王是恶意，
‘今晚他会逃跑。’
他会再派人来将你缉拿，

他的阴谋就会暴露无遗。

“如果你想进一步证实，
塔盘汗是恶意还是善意，
你就当着信使的面发出邀请。
请你志同道合同甘共苦的人，
全副武装来你这里聚集，
然后告诉信使，
你明天就去汗王那里。

“当塔盘汗听了禀报，
他会把你邀请的人一一叫去，
给他们戴上手铐、脚镣，
也许不让他们活过今夜。
他们无法与你巧依托隆联系，
会眼睁睁地含恨死去。”

巧依托隆听了塔孜哈拉的话，
觉得很有道理。
他对信使回了话：
“请告诉汗王，
今天我有事难以脱身，
明天我就前去。”

信使急急忙忙跑到汗王那里：
“巧依托隆对我们不屑一顾，
他说：‘明天我再过去，
你回到汗王那里转达我的意思。’”

听了信使的话，
塔盘汗疑心更重了，
他不由地动了脾气：
“让巧依托隆和他手下的首领，
一个不留地快快赶到这里！”

在塔盘汗下命令之前，
巧依托隆部下的首领，
已经聚集在了一起，
巧依托隆把前前后后发生的事，
都全盘分析给了他们。
大家一个看着一个都闷着头，
毡房里静得出奇。

正在这时，
一个信使破门而入，
大声地呼叫令人浑身发冷：
“汗王有令，
要你和众首领一起前去听命，
你们快一点走，
不要拖拖拉拉磨磨蹭蹭！”

聪明的塔孜哈拉，
转动着眼睛斜视着来人：
“要我们一起去？
除了我们还有谁聚集在他那里？
为什么你要破门而入，
为什么这么着急？”

“从汗王那儿带来的牛鞍，
放在地上也要摇晃好几天。”
这是老辈传下来的话，
句句都是真的，
没有一点儿虚妄，
它包含着深长的寓意。
在巧依托隆家里聚集的首领，
得知汗王没有叫其他部落的人，
好与坏都是自己的事，
开始胡思乱想，
一时没了主意。

“塔盘汗的目的是什么，
谁知他的真实意图？”
他们一个望着一个，
呆呆地坐在那里。

所有人的心儿，
像荡秋千一样晃荡，
双手不停地战栗，
舌头不听使唤，
含糊不清不知道说着什么意思。
找不出好的办法，
没有人知道是好事还是坏事？

“你们快一点走啊！”
信使不耐烦地催着。
光明的世界像是变成了黑夜，
屋里的光线也被堵住。
有些胆小如鼠的人，
早就吓得尿湿了裤子。

能言善辩的塔孜哈拉，
很有几分智慧和勇气。
他与巧依托隆是同母异父的兄弟，
总是与哥哥站在一起：
“传令的人不要着急，
你听我慢慢说一说，
为什么不单独召见巧依托隆，
要他与首领们一起前去？

“巧依托隆向来说话直来直去，
说出了塔盘汗要娶的姑娘是个女魔，
就这么一句话儿，
能有多大的过错？！

“在赛依特的战刀下，

鲜血四溅像落下的骤雨。
多少拿盾牌的汗王被踩在脚下，
有多少大力士被他刀劈。

“是这个女魔使那些勇士丧命，
我心里对她充满了怨气！
逃到这里的女魔，
塔盘汗做她的后盾，
她带给百姓一团晦气！

“肖尔阔勒曾经很安宁，
百姓们凭自己的劳作生活，
早出晚归，牧放着牲畜。
这里的百姓没有搬迁过，
这里的土地也未受外敌入侵，
这里的百姓没有太多的痛苦。
因为一个女魔的缘故，
我们已经到了山穷水尽的地步。

“你去告诉塔盘汗，
我们是不会去的，
我们也不去赛依特那里。
我们更不会去找库特嘎尔巴斯，
不会说塔盘汗不为我们做主。
我们面临着灭族之灾，
往后这样的战斗我们不会再去。

“肖尔阔勒的领土不能出卖，
我们哪儿也不去。
穿越在山川之间，
在平地上耕作，
在山坡上放牧狩猎，
我们在这里就这样生活。

“如果塔盘汗输了，

投降了赛依特，
我们也不会跟随赛依特，
搬迁到柯尔克孜人那里。
如果塔盘汗赢了，
他还是我们的汗王，
我们也不会将他背弃。

“我们部落在肖尔阔勒人数最多，
巧依托隆是受人尊敬的首领。
‘把巧依托隆叫来！’
这样粗暴地下达命令，
像对他的女魔一样吆喝！
巧依托隆在他眼里还有什么价值可说！

“把巧依托隆部落的首领全部召去，
用绳子捆住他们的手脚，
然后对大家说：‘巧依托隆是坏人。’
要当面挖去巧依托隆的双目。
这是明摆着的事儿谁看不出？
这都是那个女魔的阴谋！”

他一面对信使说着，
一面对望着他的首领扬了扬眉，
那些得到他暗示的首领们带着士兵，
骑上马纷纷离开，
巧依托隆的人马分道扬镳，
留在原地的人已寥寥无几。

那个信使看到这些，
飞快地顺着来路匆匆跑回。
他两只袖子当作鞭子，
鼻子滴着鲜血，
嘴里嘟囔着向前飞奔，
累得说不出一句话来。

塔盘汗和女魔正相互搂抱，
坐在帐中，含情脉脉。
倒霉的信使，
把听到和看到的情况，
结结巴巴地全说了出来。

没有征求塔盘汗的意见，
狡诈的女魔猛地站了起来，
她挥刀杀死了信使，
脸上毫无怜悯的神色。
这个信使倒下了，
自己为什么丢掉了性命，
他至死也没有弄明白。
她又叫来一个人，
安排把死去的信使悄悄地掩埋。

女魔对塔盘汗这样说：
“这个无用的信使，
没把首领们叫来，
捎来什么鬼话，
叫我们如此不开心。

“如果不杀掉信使，
关于巧依托隆的事，
他会对别人说起，
别人会产生误会。

“如果其他的人，
都像巧依托隆一样，
骑着马出来造反，
你作为汗王还怎么领兵打仗，
我们如何对付赛依特？！

“黎民百姓中的首领，
我们把他们召集到这里来，

不要提巧依托隆的事，
我们装作什么也不知道。

“当把大家都召集来时，
当宫廷内都站满了人时，
‘巧依托隆怎么没有来？’
那时候你这样问大家，
显示出你的关怀。

“‘巧依托隆和他的士兵，
骑着马出城去了。’
看到的人也许会这样回答你的问责。

“听到别人这样说的时候，
你要不露声色：
‘巧依托隆不是这样的人，
这不是开玩笑的事情，
不要胡猜乱想！
四十天很快会过去，
与赛依特交战之前要做很多准备，
巧依托隆不可能对此不理不睬。’

“我的汗王，
你就下令叫巧依托隆赶快过来。
当有人把这话告诉了他时，
巧依托隆定然会犹豫不定，左右摇摆。
‘去那里的信使呢？’
我们就说没有看到，
不承认他已被我们杀掉，
我们要巧依托隆把信使交出来。

“‘你变了，勇士，
怎么吞吞吐吐话都说不明白？’
我们从他话里找出茬子，
然后当着众人的面，

让他血染旌旗，以死谢罪，
神不知鬼不觉地让他有来无回！

“巧妙地收拾了他以后，
我们选塔孜哈拉顶替他的地位。
让鱼儿自己舔自己的伤口，
谁都知道这是不可能的。
明知痛苦却流不出泪来！
我们就这样抓住他们的百姓，
让他们跟着我们有怨说不出口来！

“如果巧依托隆不来，
如果塔孜哈拉不在，
‘你没有参加战斗前的商议。’
我们再派人前去，
请他过来。

“他如果愿意来就来，
如果不愿意来的话，
不要勉强，也不要理会。
巧依托隆没有多大能耐，
总有一天他自己会来。

“如果他实在不来，
我们寻机找到塔孜哈拉的毛病，
将他杀死掩埋，
制伏了塔孜哈拉，
逞能的巧依托隆，
他自己会找上门来。”

女魔说完这番话，
像少女一样，
得意地娇笑一声。
在塔盘汗的脸上，
用手抚摸着，

显得格外柔情。
她扬起眉毛，
故作姿态，
害羞似的笑着，
斜眼看着塔盘汗。

塔盘汗是个不知羞耻的老色鬼，
在女魔面前昏昏沉沉忘乎所以，
他看着女魔美丽的眼睛，
浑身仿佛要融化了似的。

昏头昏脑的老人，
很容易被阴谋欺骗。
尤其是诡计多端的女魔，
她一眼就能看出，
这个愚蠢的老色鬼，
已是她手中的猎物。

被欺骗的塔盘汗，
被迫与赛依特作对，
陷入了无休止的交战之中。
接受了女魔的建议，
昏了头的塔盘汗，
瞪着眼睛下了命令：
“传我的话，
把那些首领们，
立即统统召集到宫中！”

接到汗王的命令，
侍卫飞快地跑去通知。
高傲的首领们，
都聚集到了塔盘汗的宫中。
糊涂的塔盘汗，
东瞧瞧，西看看，
突然发问：

“巧依托隆在哪里，
怎么不见他的踪影？”

汗王这样问话，
众人怎敢不吭声？
“我们看见了巧依托隆，
他身穿层层铁衣，
背着武器和厚厚的盾牌，
塔孜哈拉紧随其后，
身后还跟着一些士兵。
听说赛依特给了四十天时间，
他大概正忙于战前的休整准备出征。”

听了首领们这样回答，
塔盘汗疑惑地发话：
“这件事我怎么一点也不知情？
你们中间快去一个人，
将巧依托隆召来帐中。
四十天期限快到了，
大家聚在一起商量交战的事情，
他有什么话要讲，
我们一块儿听听。”

接到汗王的命令，
勇士中走出受大家尊敬的喀尔提凯，
他翻身上马，快马加鞭，
匆匆去找巧依托隆。
衣襟在身躯两侧飘来飘去，
两条腿在马鞍两边前后晃动。

“我们从小在一起长大，
巧依托隆，你要到哪里去，
为什么不事先通报一声？”
他好不容易赶上了行进的队伍，
紧紧抓住巧依托隆坐骑马缰绳。

“心无城府的喀尔提凯，
你不要抓住我坐骑的缰绳。
想说什么就快点说吧，
不要耽误了我的行程。”

“我们的汗王塔盘汗，
把许多人召集在宫中。
他声嘶力竭地大声吼叫：
‘巧依托隆在哪里，
为何不见他的身影？’
我们急忙给他解释：
‘巧依托隆和他的人马，
正准备出征。’

“汗王又急促地发出命令：
‘这些事情我怎么不知情？
你们中间去一个人，
快把巧依托隆给我叫来，
我要和大家商量事情。’

“汗王发出这样的指令，
我自然不敢消停，
立马扬鞭策马，
追寻你的身影。
我们曾经互相帮助，
无论遇到什么事情，
都能心心相印……”

喀尔提凯还没说完，
巧依托隆夹一夹马肚子，
扬起鞭子，意欲前行。
喀尔提凯追了过来：
“巧依托隆跟我回去吧！”

不等巧依托隆回答，
塔孜哈拉对喀尔提凯吐露了实情：
“喀尔提凯，
我们俩亲如兄弟，
你是兄长，我是小弟，
你好好琢磨琢磨，
难道你一点都看不出，
塔盘汗的真实用意？

“塔盘汗曾经用自己的汗水，
为自己赢得了好运、财富和权力。
在他的鼎盛时期，
与库特嘎尔巴斯不分高低。

“从柯尔克孜部落来的那个赛依特，
他是不会说谎的英雄。
巧依托隆对塔盘汗，
说穿了那个女魔的破事。
那个女魔知道后，
肯定在塔盘汗面前，
挑拨了部落间的关系。

“塔盘汗听了女魔的坏话，
定会按照女魔的诡计行事：
‘叫巧依托隆来！’
他先是派了一个信使，
巧依托隆只是说：
‘我明天去。’
并未动身前往。

“一眨眼的工夫，
他又派来一个信使，
叫巧依托隆和首领们，
一起去到他那里。
我怀疑前面的那个信使，

会不会已经被他们杀死，
然后将杀死信使的罪责，
倒扣在巧依托隆的身上。

“你回去吧，喀尔提凯，
告诉汗王我说的这点点滴滴。
以前派过一位信使，
这位信使现在哪里？
如果这位信使不来，
巧依托隆不会去塔盘汗那里。
塔盘汗的意图是好是坏，
我们还要好好观察，
摸清汗王的底细。

“我们不会为躲避塔盘汗去找赛依特，
我们也不会去库特嘎尔巴斯那里。
请你回去吧，喀尔提凯，
我们再没有什么可说的。”

喀尔提凯听罢，
低头沉思片刻。
然后，他返回了汗王的宫中，
一字不漏地将听到的话儿告诉了他们。

随后，他又多说了几句话，
好心好意地想给汗王提个醒：
“汗王要娶的这个美丽少女，
其实是逃生而来的灾星，
她从节迪盖尔来到这里，
给百姓带来的是灾祸而不是安宁。

“英明的塔盘汗与赛依特对垒，
损失了很多士兵和百姓。
多少勇士被消灭了，
多少士兵好汉失去了生命。

"'我要娶这个女人。'
汗王被这个妖女所迷惑。
为此，有多少人含冤闭上了眼睛！
上次派去的信使在哪里？
巧依托隆要见到那个信使，
别的事他们没说，
只说见不到那个信使，
他不会来到宫中。"

恼怒的塔盘汗急红了眼睛，
嘴唇不住地抖动：
"闭嘴，喀尔提凯，
你说的都不是真的！
你没有去是在中途返回来的！

"你所说的都是假话，
是你喀尔提凯自编的。
莫不是能说会道的塔孜哈拉，
煽动的语言将你蒙蔽。
我了解巧依托隆，
他说不出这样的话语！

"我原来那么相信他，
他是不会背叛我的。
塔孜哈拉跟着他，
肯定没有出什么好主意！
他是否被塔孜哈拉蒙蔽，
就这样带着部落独自离去。
那怎么可以？
哪能这么便宜？
因为害怕赛依特就找借口，
他们是一群逃跑的奴隶！

"在外面道听途说，

编得如此天衣无缝！
喀尔提凯，你是一个无知的人，
你要受到惩罚，
对你我不能客气！
来人把他的双手绑起来，
把他在树上高高吊起！
告诫人们不要跟着巧依托隆瞎跑，
也不要像喀尔提凯这样鬼迷心窍，
信口开河，不辨东西！”

喀尔提凯无辜遭此厄运，
被吊到树上受折磨。
在场的人浑身哆嗦，
心惊胆战失去了主张。
我们把这些暂且放下，
再看看赛依特那边的情况。

赛依特解救巧依托隆和塔孜哈拉

闲暇的赛依特在丘陵打猎，
他抬起头来向远方眺望。
他看到一群人马朝这边走来，
领头的勇士气宇轩昂。

“给了他们四十天时间，
今天是第十一天，
前来的人马是谁呀，
为什么路上尘土飞扬？
我要前去会会他，
看看是什么情况？”

赛依特催动着骏马，
飞一般赶向前方。
铁勒库荣神驹如同奔驰的狍子，
马尾在风中飘扬。

年轻的雄狮上前问道：
“你是哪一位，
要去何方？
道路崎岖不平，
祝你一路顺畅！”

来者是巧依托隆，他看见了赛依特，
吓得支支吾吾有点慌张：
“我从塔盘汗那里来，
碰到点麻烦，
想暂时避一避，
临时找个地方……”

这时，塔孜哈拉匆忙赶了过来，
额头的汗珠顺着脸颊往下流淌：
“啊，是赛依特勇士，
见到你我心情格外舒畅！
玛纳斯的灵魂陪伴着你，
你不是一般的英雄！
在你面前不能说假话，
我要对你实话实讲。

“我的名字叫塔孜哈拉，
他的名字叫巧依托隆。
请让我们把话讲完，
请给我们一点儿时间。
十几天以前从你这里，
我们获准了四十天休整的期限。
巧依托隆跟着你，
就因为揭穿了女魔的阴谋，
接踵而来的是连续不断的灾难。
为了躲避塔盘汗的处罚，
为了摆脱女魔的纠缠，
我们带领士兵逃了出来，
来到这里恰巧把你碰见。

“在塔盘汗那里，
数我们人口众多，
数我们兵强马壮，
比其他部落能征善战。
巧依托隆和我，
是同母异父的兄弟，
现在，我们正在逃难。

“我们得罪了汗王要娶的魔女，
塔盘汗要把我们追杀。
在这里遇到了你，

我们的心怦怦直跳。
是否我们的末日到了，
又要遭遇死神的驱赶？”

听塔孜哈拉说罢，
赛依特在马上开了言：
“你的名字是塔孜哈拉，
如果你说的都是实话，
我不会将你们为难。
我也不会要求你们，
投奔我来与我做伴。

“你们要小心，
你们身后的那个女魔，
她魔力超群，
十分阴险。
你们要时时提防，
提防她背后的暗算！”

正在这时，
女魔变化成喀尔提凯，
跟随着他们的脚印，
来到了他们跟前。

她问候着伸出手，
看到赛依特就在身边，
胆怯得不敢直言，
话语变得躲躲闪闪。
一会儿用公羊一般粗的嗓音，
一会儿细声细气，
一会儿花言巧语，
一会儿装腔作势，
与他们无休止地纠缠。

如果赛依特不在身边，

如果没有顾忌和麻烦，
她会对他们明说：
“走，快跟我回去见塔盘汗！”

如果他们不听，
她会好好教训他们一番。
如果他们同意，
她会押着他们回返，
然后鼓动塔盘汗下令，
为了震慑其他首领，
狠狠地将这俩人折磨一番。

明辨是非的塔孜哈拉，
识破了女魔的伪装。
他心里明白，
这是一种智慧和勇气的挑战。

“你不是喀尔提凯，
嗓门像公羊似的，
喀尔提凯的嗓音我熟悉，
不是这般古怪难辨！
我知道你的用心，
连哄带骗把我们诓回去，
等待我们的将是无尽的灾难！

“放长线然后猛地一拉，
知道后果的时候一切都晚了，
我知道你凶险的用心。
‘巧依托隆和塔孜哈拉，
如果听我的话，
顺从地跟我走，
我会对你们客气一点。
如果违抗的话，
我会教训你们，
带给你们深重的灾难！’

“阴险的女魔，
你既然来了，
变化成了喀尔提凯，
喀尔提凯肯定被你们害了，
他的生命难以保全。

“你杀了喀尔提凯，
却装作什么也不知道，
来把塔孜哈拉蒙骗。
看到赛依特，
你没有办法了，
你的魔法难以放手施展。

“你不要站在这里，
你赶快回去吧，
去告诉你的可汗，
我们已经翻脸。
从现在起，
我们全力以赴，
坚定不移地站在赛依特一边！

“在此之前，
我们并没有投奔赛依特的打算。
在肖尔阔勒的一方水土上，
我们生活得很安宁悠闲。
我们只是想躲避到一个安宁的地方，
平安地度过我们的每一天。
穿越山间遇到了赛依特，
我们才知道，
只有和他在一起，
我们才会得到安全。

“塔盘汗昏了头，
百姓会被你吃光。

我们不会跟在你的后面，
返回到塔盘汗那里，
在那里被他反复地审问刁难。
我们不想倒霉，
更不想面临灾难。

“玛纳斯的后代赛依特，
他不会伤害百姓，
他没有非分所求，
跟着他，我们感到十分平安。

“库特嘎尔巴斯那里，
我们也不会去俯首称臣，
我们不愿屈辱地生活在世间！

“什么时候能摆脱你？
如果摆脱了真是万幸，
我们的百姓会脱离苦难！”

静静地站在那里，
听完了塔孜哈拉的话，
女魔一时哑口无言。
她调转马头，
举起马鞭，
打算逃窜。

赛依特稳稳地坐在马背上，
这时镇静地对女魔开了言：
“等一等，女魔，
听我把话说完再走也不算太晚，
千方百计拦住巧依托隆和塔孜哈拉，
你是想害死他们，
让他们离开人间。

“你想让我们分开，

然后伺机向他们下手。
你是想把百姓都吃完，
让世界的白天都变成黑暗的夜晚！

“你是想让百姓空握双手，
瘫在地上不能动弹；
你是想让百姓双目失明，
见不到大地和蓝天；
你是想让百姓的耳朵失灵，
听不见风吹草动和人间所有的语言；
你是想让百姓俯首帖耳，
以血肉之躯甘心做你的美餐！
你这是痴心妄想，
你的阴谋永远难以实现！”

赛依特怒斥着女魔，
他策动铁勒库荣神驹，
双腿夹紧马肚，
抖动缰绳，
挺起矛枪凶猛冲向女魔。

女魔顾不上回答赛依特的话，
拼命夺路而逃，
她心惊胆战，
眼前突然腾起一片大火，
燃起在面前。

是逃走的女魔，
施展了魔法。
狡诈的女魔，
眼见她的愿望无法实现，
只得使出这般下作的手段。

道路上弥漫着火焰，
神驹无法前行，

塔孜哈拉不知道该怎么办，
巧依托隆心在怦怦直跳，
张口结舌睁着眼睛，
双手却无法动弹。

女魔的伎俩，
赛依特早就料到，
他一点儿都不慌乱。
狡猾的女魔，
当赛依特快要追上她时，
她又偷偷地绕了回来，
要向巧依托隆和塔孜哈拉施加暗算。

“昨天我给了她机会，
今天我能追上她吗？
当我进入火海，
女魔会乘机返回，
给无辜的百姓带来灾难。”

赛依特想到这些，
又回到巧依托隆和塔孜哈拉身边：
“你们快跟我走，
不要犹豫，
不要恋战，
尽快脱离危险！”

巧依托隆和塔孜哈拉，
眼前发黑，
什么也看不见，
耳朵变聋，
什么也听不见。
他们的舌头动不了，
不能说话，
浑身无力不能动弹。

赛依特十分心痛，
不忍看他们受难。
他把先祖留下的神枪，
从袋中抽出，抵在臂间。
枪膛里有一颗神奇的子弹，
他扣动扳机，
枪管里迸出一股红色的火焰。

肖尔阔勒被震动了，
坐在汗位上的塔盘汗，
吓得打了一个冷战，
他瞪大了惊恐的双眼。
原先冲天的大火不见了，
顿时被驱赶得烟消雾散。

人们看到了这惊心动魄的一幕，
是英雄赛依特将他们拯救，
让他们脱离了危险。
人们奔走相告，
纷纷围拢到赛依特的身边。

“狡诈的女魔一来，
让我们惊慌失措，
我们差一点被她变成石头，
永远留在肖尔阔勒的戈壁滩上！

“啊，赛依特，雄狮之子，
无论你去哪儿都要把我们带上。
我们愿意永远跟随在你身后，
世代做你的忠实部众绝不彷徨。
离开你我们会无安身之地，
跟着你我们会终身幸福安康！”

从此，他们成为柯尔克孜的一部分，
他们的后代先称为“萨拉尔”，

后来被称为“萨拉”，
“萨拉”的名称代代相传。
巧依托隆和塔孜哈拉，
成了赛依特永不分离的伙伴。

为这事辛苦，
为那事奔波，
好像是一眨眼的工夫，
四十天的期限过去了。
勇士赛依特和塔盘汗，
又迎来了开战的时候。

我们先把这事放下，
看一看塔盘汗又要做些什么，
我的故事就从这里慢慢地唱来。

塔盘汗
与库特嘎尔巴斯
联合

赛依特与铁热克拜、塔帕克交战

将要出战的塔盘汗，
哪里顾及百姓的苦痛。
他把所有的男人和年轻的女子，
都赶去充军。
到处都是混乱的人群，
到处都是被迫充军的百姓。

“离开赛依特，
女魔会消灭我们！”
没有任何人的鼓动，
巧依托隆部落的民众，
发出共同的呼声。
虽然赛依特没有要求，
巧依托隆却主动跟随，
身后带领一万两千名士兵。

孤军作战的赛依特，
现在身边有几位勇士，
一万多名士兵，
像燃烧的火焰气势凶猛，
他们斗志昂扬，气势夺人。

旌旗翻动，
尘土升腾，
塔盘汗率领的队伍，
也按约定走进战场。
此时塔盘汗的心，
有点惴惴不安，十分惶恐。

在塔盘汗的队伍中，
有个名叫铁热克拜的勇士，
他是位出了名的大力士。
他一起一伏地骑着骆驼，
不骑骆驼的时候独自步行。
铁热克拜所到之处，
就像熊熊的火焰要把一切烧尽。

他骑的是高大的红骆驼，
厚厚的下唇咧着，
露出满嘴的牙齿，
两腮鼓得紧紧的，
像两只充满了气的皮囊。
驼峰高高地耸立着，
好像山峰在群山中屹立。

长长的四条腿如同细细的木桩，
碗大的蹄子留下深深的蹄印。
它甩开腿奔跑时，
身后扬起滚滚烟尘。

铁热克拜将大锤攥在手中，
一把长剑在背上晃动，
他脸上露着得意的神情。
他自以为自己是无敌英雄，
在无数次交战中都得以幸存。

他胯下的红骆驼，
甩开四蹄，
扬起满天沙尘。
两只眼睛闪着光芒，
牙齿磨动发出“咯咯”的响声。
嘴角吐着白沫，
鼻子喷着粗气，
不可一世，

来势汹汹。

骆驼的主人铁热克拜，
嗓子咕咕响着，
瞪着一双怒火四射的眼睛。
他的矛枪闪着寒光，
不顾一切要与对手拼命。

当看到铁热克拜冲杀过来，
巧依托隆和塔孜哈拉，
未免心中有点惊恐：
“像山一样高大的铁热克拜，
赛依特不知能否将他战胜？

“一旦我们失去赛依特，
我们就会山穷水尽，
我们的末日就要来临。
现在是生死攸关的时分，
千万不可掉以轻心！”

铁热克拜把沉重的大锤，
紧握在铁铸一般的手中。
“谁要不怕死就来吧，
大名鼎鼎的赛依特啊，
你还想不想活命？！”
骑着高大的红骆驼，
铁热克拜大喊大叫着冲来，
辽阔的大地一阵颤动。

挥动的大锤还未出手，
讥讽的话还未吐出嘴唇，
身体还没有靠到跟前，
手臂的肌肉就被赛依特刺中。

像牛犊一般大小的肌肉开花了，

高大的铁热克拜眼看就要毙命。
赛依特把长矛抽回来，
像猎隼一样灵敏的赛依特英雄，
挥动长矛又刺了过去。

在红骆驼的背上，
铁热克拜又被击中。
他从骆驼上摔了下来，
高大的身躯轰然倒地，
鲜血流淌把沙土染红。

那红骆驼不是一般的牲畜，
它是牲畜中的精灵。
它低下头，
嘴里的牙齿“咯咯”地响着，
跑动四蹄追了过来，
暴怒着向赛依特发起猛冲。

勇士赛依特镇定自若，
站在原地岿然不动。
塔盘汗的士兵，
七嘴八舌纷纷议论：
“这个勇猛的红骆驼像人一样，
你看它多么厉害！
赛依特和他的马就要被撞翻了，
红骆驼必定将他们战胜。

“巧依托隆和塔孜哈拉，
将会怎么样？
将会是个什么下场？”
他们兴奋地谈论着，
好像赛依特已经被红骆驼战胜。

铁热克拜的红骆驼，
已经冲到了赛依特的前胸，

它狂躁无比，
来势凶猛。

赛依特不慌不忙，
伸手敏捷地抓住了红骆驼的鼻绳。
往上一提，
那骆驼头昂着，
前蹄顿时离了地，
红骆驼呈“八”字形，
立在了空中。
赛依特嘴里“巧克、巧克”地叫着，
甩动鼻绳让红骆驼趴下。
他猛地一甩扭断了红骆驼的脖颈，
红骆驼顿时失去了暴烈的脾性。

铁热克拜和红骆驼，
一个是勇士，
一个是牲畜，
他们都具有勇猛超群的个性。
高大威猛的铁热克拜，
牲畜中出众的红骆驼，
他们都被英雄赛依特利索地制伏了。

塔盘汗的勇士塔帕克，
自以为比雄狮还勇猛。
他的身躯像山一样高大，
他的神威令世人惊恐。

“唉，塔盘汗的名气，
如今已丧失殆尽！”
勇士塔帕克叹息着，
他紧握手中的长矛，
拍马向赛依特冲击。

塔帕克自以为勇猛过人，

他的喊声震耳欲聋。
他的喊声能把石头震碎，
他的喊声能让旷野刮起飓风。
他挥动长矛向赛依特刺去，
长矛出手还没有收回来，
就被赛依特敏捷地抓住了矛柄。

“我看你有多大能耐！”
赛依特使足了力气，
狠狠地将长矛甩动。
塔帕克紧握长矛毫不相让，
企图挣脱被抓住的矛柄。

两个人你争我夺，
在马上激烈地较劲。
“我决不丢掉长矛！”
塔帕克暗自盘算，
握住长矛的手不肯放松。

这根矛杆是用竹子做的，
这样的矛杆结实无比，
不会弯曲也不会折断。
赛依特暗自发力，
双脚牢牢地蹬住马镫。
他双臂抬起，
奋力向两边甩来甩去，
矛杆中间禁不住裂开了一道缝。

塔帕克的眼里喷射出火焰，
他狠狠地咬住嘴唇，
学着赛依特的样子，
蹬紧了马镫，
把浑身的力量都聚集在腰部和手中。
“肖尔阔勒支持我吧！”
他心中念叨着，

想抽回他的长矛，
握着长矛的手丝毫没有放松。

无论怎么努力，
长矛始终未能从赛依特手里夺回。
为了男人的面子两个勇士都坚持着，
死也不愿放开手中的矛杆。
“若是长矛让赛依特夺去，
我还有什么脸面！”
被拧裂了的矛杆吱吱作响，
汗水湿透了塔帕克的衣衫。

塔帕克的事情很不顺利，
无论怎么努力都无法占据上风。
塔帕克不知是怎么回事，
他忽然浑身打战，
冷得彻骨冰心，
双手慢慢地放松。

“不知天高地厚的塔帕克，
你的能耐就这么几分！”
年轻的雄狮赛依特，
三十二种马上技巧，样样精通。
他握紧长矛，
憋足劲儿往后退了退，
然后双手往前一伸，
突然用尽全力往回一拉，
塔帕克的长矛被夺到了手中！

塔帕克失去了长矛，
心中怒火直窜脑门，
想挽回败势的心情难以平静。
他向塔盘汗大吼：
“给我再送根长矛来！”
愤怒的喊声回荡在天空。

面对失去武器空着双手的对手，
赛依特只要回头一矛，
就会要了塔帕克的性命。
然而顶天立地的英雄赛依特，
却没有趁此发起进攻。
他勒马静静地等待着，
显示出了玛纳斯后代的大度和神勇。

十二个大力士，一个武士，
十三个人把一根结实的长矛，
好不容易搬了过来，
费尽力气递到了塔帕克的手中。

塔帕克愤怒地发出不满的吼声：
“为何不早点抬过来？！”
他抓起长矛，
鼻孔张大，
迫不及待地向赛依特再次发起进攻，
那气势犹如猛虎下山一样凶猛。

赛依特拔出利斧，
拦挡刺来的长矛。
“当”的一声，
斧背碰到长矛，
矛尖被击得粉碎，
塔帕克手中的长矛飞向了天空。
勇士塔帕克的右手，
差一点被折断，
他的双臂被震得酸痛。

两根长矛被赛依特夺下，
现在塔帕克是两手空空。
气急败坏的塔帕克义愤填膺：
“远方来的赛依特，

看你不可一世的样子，
我岂能容忍你！
我塔帕克要让你去死，
我要把你打翻在地上再踏上一只脚！
你的末日就要到了，
这是你自寻死路，
可别怪我无情！

“那些勇士你都看见了吧？
他们像我一样充满血性！
你擅破长矛，
这点我已经领教。
这回我要换一件武器，
让你开一开眼界，
见识一下谁才是天下真正的英雄！”

塔帕克讲完，
伸手操起千斤大锤，
又向赛依特发起新一轮进攻。
大锤在空中飞舞，
发出呼呼的响声。
“我要奋力击过去，
让他在我的大锤下丧命！”
塔帕克自恃力大无穷，
却低估了赛依特的本领。

塔帕克阵营的士兵那边，
发出震耳的助威声。
八万只马蹄踩踏着大地，
大地一阵阵颤动。
巧依托隆和塔孜哈拉，
紧张的心怦怦地跳动。
阔努什拜在一旁悲观地哭泣，
几乎丧失了必胜的信心。

雄狮赛依特，
把自命不凡的塔帕克，
看得比裤脚还低，
嘴角露出蔑视的表情。
他像高山一样屹立着，
眼睛锐利地观看着，
稳坐马背一动不动。
观战的士兵都对他投入赞赏的目光，
无不为英雄的勇猛和镇静所震惊。

赛依特紧握着锋利的长矛，
不等塔帕克接近，
策动骏马冲了过去，
矛枪戳中了对手的腋窝。
塔帕克沉重地从马背上摔了下来，
大锤“咚”的一声落在地上，
大地发出沉闷的响声。

塔帕克勇士觉醒投靠赛依特

赛依特抽出宝剑，
正要向塔帕克的脖子砍去，
巧依托隆赶了过来，
以急切的语气向赛依特求情：
“英勇的猛虎赛依特，
请你停一停，
且听我对你细说分明：
塔盘汗因为是汗王，
众勇士不得不听命于他。
在塔盘汗的勇士之中，
没有像塔帕克这样杰出的英雄。

“你等他缓一缓，
看他有什么表示？
如果塔帕克愿意听我的劝诫，
如果他愿意醒悟，弃暗投明，
自视强大的塔盘汗那边，
就再没有了多少坚实的力量得以支撑。

“塔帕克从来不听塔盘汗的调遣，
他与世无争富有正义。
是女魔前去蛊惑他，
说是为了保护无辜百姓，
把他蒙骗到了这里。

“我和他是好朋友，
我们坦诚相待，惺惺相惜。
如果塔帕克愿意反戈一击，
塔盘汗就会连夜逃跑，

去找库特嘎尔巴斯。
气急败坏的女魔，
也许正赶往那里。”

正在这时，
塔帕克坐了起来，
他抬起头来看了看赛依特，
然后低下头去陷入沉思。
“自从人们知道我的名气，
与我对峙的人中，
还没有见过这样的英雄！
来自柯尔克孜的赛依特，
他有汗王的仁义和风范，
他两次没有把我杀死，
没有叫我从此在这个世上消失。”

塔帕克像梦醒了似的，
他转身一看，
眼前模模糊糊，迷迷离离。
赛依特不见了，
巧依托隆站在那里，
塔孜哈拉也和他在一起。

塔孜哈拉把塔帕克的战马，
牵过来交到了塔帕克手里。
塔帕克从马上摔下来时，
鲜血从脸上流下来染红了上衣。
塔孜哈拉把他扶上马鞍，
恳切的话语感天动地。

“我们跟随了赛依特，
是出于对塔盘汗的不满。
赛依特知道你的勇猛正直，
虽然把你从马上刺翻在地，
他却对你手下留情，

他敬重你这样的英雄。

“与赛依特交战过的人，
谁有过这样的荣幸？
他的仁慈使你在这个世上重生。
来吧，让我们在一起，
跟随在赛依特汗王身后去伸张正义！

“你心上的那位姑娘，
她的善良和美丽，
在部落里没有人能与她相比，
她被库特嘎尔巴斯抢走了，
库特嘎尔巴斯把她搂在了怀里。
库特嘎尔巴斯怎么可以这样呢？！
这样的行径神灵也难以容忍。

“库特嘎尔巴斯在我们的部落中，
做了多少让我们不能忘记的坏事！
被库特嘎尔巴斯抢走后，
你心爱的姑娘生病了，
挣扎在痛苦里。
她日夜把你思念，
盼望你把他营救。
这是我听来往的商人说的，
没有半句假话，
全是千真万确的事实！

“多少年以来，
巧依托隆是与你命运相依的朋友，
我塔孜哈拉也与你站在一起！
你心上的人被人抢走了，
你不要灰心丧气。
我们一齐联起手来，
讨回我们的尊严，
去夺回我们失去的正义！

“库特嘎尔巴斯对你的侮辱，
给很多人带来了伤害和痛苦，
他的那些罪恶叫人怒火难抑！

“在塔盘汗的部落里，
如果她是一位可爱的少女，
如果她是出了名的美人，
即使定亲的戒指已带在手上，
不管是年轻的姑娘还是少妇，
库特嘎尔巴斯都要霸占为奴！

“罪大恶极的库特嘎尔巴斯，
近日就会得到应有的下场。
什么叫作罪有应得？
什么叫作咎由自取？
赛依特会让库特嘎尔巴斯长一点见识！

“库特嘎尔巴斯即使变成十个，
他的谋士即使是四十个；
他的大力士即使有一千人，
他的士卒即使有十万人，
他的力量不过如此！
库特嘎尔巴斯和塔盘汗，
就连女魔也都算上，
再加上库木萨尔也就四个，
他们的实力也就如此！

“库特嘎尔巴斯的部下有六种人，
他指挥得动的人寥寥无几。
其中白种人少一些，
对库特嘎尔巴斯三心二意；
黑种人数量很多，
可惜地位很低；
黄种人都拥护他，

跟在他的身后相随相依；
红种人相对多一点，
有的人紧跟着他，
少数人死心塌地；
蓝种人数量不多，
毋庸多虑；
绿种人也可找见几个，
没有多少实力。
他虽然拥有各种肤色的好汉和兵勇，
但各种人各有自己的心思！”
塔孜哈拉的话，
塔帕克和赛依特都听到了，
两位英雄感同身受。

听了这些话的赛依特，
不由地暗自寻思：
“库特嘎尔巴斯这个混蛋，
让塔盘汗的百姓受尽了灾难。
有很多力拔山河的英雄，
有很多智勇过人的勇士，
塔盘汗没有团结好他们，
失去了宝贵的民心和民意！
老婆都被库特嘎尔巴斯抢去了，
大臣和勇士们怎能与他一心一意！

“这里百姓的遭遇，
我知道了；
这里部落的情况，
我看清楚了。
我要和你们一起好好教训教训，
这个带给百姓苦难的塔盘汗，
还有那个干尽坏事的库特嘎尔巴斯！

“肖尔阔勒的水，
我喝过了；

肖尔阔勒百姓的苦，
我知道了；
肖尔阔勒百姓的情意，
我也该报答了。
我要惩治恶魔，
铲除邪恶，
还百姓尊严和正义。
塔盘汗下一步怎么做，
我要细心观察，
瞅准时机！”

勇士塔帕克，
从地上缓缓站起。
他摆动着衣襟，
甩动着袖子。
他宽大的裤管，
皮制的裤子，
从地上走过时呼呼有声，
身后的尘土被他的双脚扬起。

“啊，英雄赛依特，
你在哪里？
我塔帕克的情况，
巧依托隆已经说得很详细。
现在，我对你没有什么可说的！

“我要娶的女人，
被库特嘎尔巴斯抢走了，
我只能默默承受，
独自悲愤！
你来到肖尔阔勒，
时间不算短了，
今日我才真正了解了你。
请原谅我的粗鲁无知，
请原谅我不明详情。

“塔盘汗派人去叫我，
我来这里已经两天了，
并不知事情的原委。
‘有个名叫赛依特的勇士，
给民众带来了无尽的灾难，
你要把他刺翻在地！
如果你取得胜利，
我就帮你把你心上的女人，
从库特嘎尔巴斯那里抢回来！’
塔盘汗是这么说的，
于是，我不顾一切地来到了这里！

“塔盘汗和赛依特，
你们两位相距很远的汗王，
为什么互相仇视，
我还是弄不明白，
我被蒙在鼓里。
我一直以为，
塔盘汗能帮我从库特嘎尔巴斯手里，
把我的女人夺回来，
于是我奋勇作战，不顾一切。

“因为误会和不明真相，
我用长矛刺向了你，
尊敬的赛依特英雄，
请你原谅我，
原谅我不问青红皂白，
原谅我不明事理！
哦，巧依托隆和塔孜哈拉，
为什么你们也在这里？”

巧依托隆对马上的塔帕克，
轻轻用鞭一指：
“你这个塔帕克，

像半座山一样高大，
就是心眼儿太少，
脾气暴躁。

“女魔扮作美女，
来到肖尔阔勒。
我们的首领塔盘汗，
被狡猾的女魔所蒙骗，
脑子糊涂，不辨人和妖。
因为我说了一句‘女魔’的话，
差一点被他害死。
是塔孜哈拉给我出了个明智的主意，
把我从危机中解救到了这里。

“塔盘汗会帮你把女人夺回来，
他这是说大话骗你。
塔盘汗比你更勇猛吗？
他哪里有巨峰一样的本事！

“站在这里的赛依特，
是玛纳斯的子孙，
他是天下无敌的英雄！
他的英明被世人传颂。

“在节迪盖尔部落里，
出现了一个狡诈的女魔，
被赛依特察觉了她的阴谋诡计。
赛依特追逐逃遁的女魔来到了这里。

“女魔无法对付便逃到了肖尔阔勒，
将愚蠢的塔盘汗迷惑。
在塔盘汗的眼里，
她妖艳无比。
‘你娶我吧，我要嫁给你。
你要帮助我，将赛依特杀死。’

“她在奶酒里掺了水，
她让我们激烈交战争斗不息；
她让我们的百姓受难，
她让我们无数的将士命丧大地。

“你听我的话，
我告诉你的就是这些。
现在，你该明白了事情的真相。”

听了巧依托隆说的这些话，
塔帕克在马上仰天长叹：
“啊，被女魔如此这般轻易地欺骗，
塔盘汗是个笨蛋！
‘从库特嘎尔巴斯那里，
我把你的女人给你夺回来！’
他空口许愿，
骗我替他卖命，
我塔帕克更是个大笨蛋！
塔盘汗和我塔帕克，
我们俩都是笨蛋！
这样的教训，
我们要牢记在心间。

“雄鹰赛依特，
你听我说，
塔帕克我有话憋在心里：
自从做了汗王，
塔盘汗自以为很了不起。
我虽然什么也不是，
日子倒过得十分安闲。

“肖尔阔勒出了一个美女，
美名在部落间传遍。
‘我的年龄还不到四十，

我企望娶一位美丽的少女，
与她缔结成美好的姻缘。’
我把想法告诉了许多人，
很多乡亲帮我穿针引线。

“听商人们说这里有美女，
好色的库特嘎尔巴斯也不安闲。
有一天他来到我们部落，
给我们部落带来深重的灾难。
他把部落扫荡一空，
如同肆虐的狂风吹过草滩。

“有的百姓被抢走了财物，
有的妻子或女儿被他霸占。
我的心上人也被他抢走了，
我只有怒火满腔握着双拳。
我的部落虽有十个大力士，
他们像我一样忍受着侮辱，
悲怆和愤怒填满了胸间。

“如果有一个人娶上一个好女人，
如果看上去可爱又好看，
那她的男人必定做不了主，
就躲不过被抢走的灾难。
所有这些令人愤愤不平的事情，
都是我们亲眼所见。
百姓知道，
塔盘汗知道，
知道了又能怎么样？
知道了也是枉然。

“人们实在气愤不过，
众多的士兵，几十个大力士，
追赶库特嘎尔巴斯来到戈壁荒滩。
我们想把事情摆平，

想让他把抢去的人和钱财归还。

“库特嘎尔巴斯不屑一顾，
连看都不愿看我们一眼。
我们特意派人给他传言：
‘库特嘎尔巴斯，
你如果是一位尊贵的汗王，
你的胸怀应该宽大无边！
我们不会像你那样，
动不动就靠武力解决争端。

“‘如果两个相邻的部落刀枪相见，
福气和财运会离我们很远。
如果我们像狼一样互相撕扯，
就会破坏两个部落间的团结，
就会结下不解的仇怨。

“‘尊敬的库特嘎尔巴斯，
且听我们好言相劝。
请你把我们的女人都还给我们，
愿神灵保佑部落的吉祥平安。
我们也不让你空手而归，
你可以带走一些牲畜和财产。’

“没等信使说完，
库特嘎尔巴斯立马翻了脸，
他把信使狠狠地打了一顿。

“当我们赶过去时，
我们派去的信使，
从马上倒了下来，
鲜血染红了他的衣衫。
他的头肿得像水桶一样，
耳朵和眼睛难以分辨。

“我们追上了库特嘎尔巴斯，
怒火在胸中难抑难掩。
他们大概有三五十个人，
库特嘎尔巴斯像疯狗发出狂吠。
他把长矛和斧头握在手中，
一脸的杀气，一脸的凶残，
他的马嘶鸣着，穿越人群，
来到我们面前。
几十个大力士没有防备，
眨眼的工夫被他从马上掀翻。

“他把大力士们掀翻在地，
没有把他们一一杀害，
他把骏马一匹不剩地赶走了。
他站在高处得意地扬言：
‘你们十几个人在百姓中自称勇士，
别说用斧子，
还经不起我一顿马鞭！
我没有捆绑你们，
你们算是碰到了好运气，
赶快乖乖地给我滚蛋！

“‘如果你们对我没有安好心，
如果你们还要执意跟在我的后面，
我会把你们统统杀死！

“‘在塔盘汗的部落里，
我要娶漂亮的女人，
那是因为她长得好看，
那是因为我喜欢她！
你们谁要想拦住我的马头，
谁如果不给我面子，
别怪我库特嘎尔巴斯不讲情面！’

“他没有理睬众多百姓和士兵，

把美丽的姑娘和少妇中的佳人，
一个不留地带走了，
全然不顾百姓骨肉的分离。
一个被窝里睡的女人被抢去了，
我们的心像被撕裂了一般。
我们不能保护自己的亲人，
愤恨的烈焰燃烧在心中！

“如果塔盘汗与库特嘎尔巴斯联合，
如果塔盘汗娶不到他钟爱的女人，
肖尔阔勒的百姓啊，
就难以得到幸福和安宁！

“年轻的雄狮赛依特，
请原谅我的过错与不明事理，
请理解我的苦衷。
我跟随着你没有任何遗憾，
只要部落得到安宁，
只要我得到自己钟爱的女人！”

塔帕克跑过来了，
后背上的盾牌，
像锅盖一样摆动。
他弯着腰面向赛依特，
恭恭敬敬弯腰鞠躬。

站在远处观望的塔盘汗，
看到这个情景十分恓惶。
我们把这些暂且放下不讲，
唱一唱塔盘汗和女魔，
如何投靠库特嘎尔巴斯。

塔盘汗与女魔的烦恼和纠缠

最近所发生的事情，
填满了女魔的心间，
她昏头昏脑，烦恼万分。
一个接一个的失败，
让她失去了往日的气焰。

赛依特的力量一天强似一天，
塔盘汗的行动总是难以成功。
想起最近的经历，
狡诈的女魔寝食难安，
她阴冷的内心和胸膛里，
渐渐升起一股无名的火焰。

“我独自一人逃到这里，
满以为塔盘汗可以庇护我，
谁知步步都不顺利！
在肖尔阔勒这个部落里，
没有人敢挺身而出，
没有人能与赛依特匹敌。
难道我就这样徒劳地奔波，
难道我就这样无助地躲避？

“索性不让塔盘汗察觉，
在某一天某一夜里，
我独自去一趟库特嘎尔巴斯那里，
如果是那样的话，
又会出现一种怎样的态势？”
狡诈的女魔左思右想，
飞扬的思绪一刻也没停息。

“巧依托隆和塔孜哈拉，
带上勇士塔帕克一起投奔了赛依特，
面对这令人诅咒的形势，
我该有什么样的妙计良策？”

塔盘汗得知消息后，
想不出什么好的主张，
坐在大汗的宝座上，
满脸愁云的他也在胡思乱想。

“要不，我们去库特嘎尔巴斯那里，
与他联合在一起，
共同抗击赛依特的攻击？”

头脑昏昏的塔盘汗，
说出这样的话，
又感觉到有口难张，
他对女魔说又说不出口，
“我的末日到了！”
他拿不定主意，
内心十分惊慌。

脸上的焦躁实难消失，
无计可施的他唤来信使，
提出了一个无可奈何的主张：
“传话给那个赛依特，
请他再放宽三天期限，
为了最后的交战，
我要亲自走上战场。”

当信使把话传到时，
当听说再给三天期限再开战时，
不等赛依特回答，
性急的塔帕克率先开了腔。

“塔盘汗说出这样的话，
他没有揣一副善良的心肠，
三天的时间里，
他会去求库特嘎尔巴斯帮忙。
那个库特嘎尔巴斯，
会被他的谎言欺骗而上当。
库特嘎尔巴斯会带着六色皮肤的兵丁，
犹如狂风暴雨一般袭来，
与我们在战场上较量。

“这是塔盘汗的鬼主意，
我们切不可上他的当！
我们现在就去抓他，
他已经没有多少抵挡的力量！”

赛依特截住了他的话，
他从容镇定，
把道理给大家细讲：
“不能那样做，勇士塔帕克，
塔盘汗派信使来商量，
我们不能没有一点儿肚量。

“如果我们不答应，
那我们就是一群小人，
有损于父辈们大仁大义的名望。
玛纳斯留下的传统，
我们不能丢弃，不能不讲。
让他尽管使出所有的伎俩，
然后我们再动手将他消灭。”

他转身对着传话的信使，
义正词严地开了口：
“你回去告诉你的汗王，
要他点亮智慧的明灯，

把自己的心胸照亮。
他有多大的能耐，
要小心对待，仔细思量。

“让他保全自己汗王的名望，
乖乖地把女魔交到我的手上。
我可以走自己的路，
骑马独自回到故乡，
他可以继续在这里当他的汗王，
保准逍遥自在，顺顺当当。

“塔盘汗要像正常人一样，
把心思用在走正道上。
如果塔盘汗答应了我的条件，
我可以暂时离开这里，
帮助结束肖尔阔勒的动荡。
无论我走到哪里，
我都会牢记灵魂高贵的玛纳斯，
替百姓把正义伸张。

“勇士塔帕克要娶的姑娘，
还有很多人的钱财与家当，
都被贪婪的库特嘎尔巴斯抢走了，
他是一只凶狠的豺狼。

“我有先辈雄狮玛纳斯护佑，
我怎能胆怯，不敢前往？！
我会打到库特嘎尔巴斯那里去，
我会到那个畜生的老窝去，
我要教训教训他，
让他知道贪婪的可耻下场。

“请塔盘汗放开眼界，
再三权衡，好好思量。
他要求再给三天的期限，

我答应了，满足了他的愿望。

“如果他想去库特嘎尔巴斯那里，
他不用隐瞒，可以明讲。
我不会乘虚而入，
绝不把他的去路阻挡，
他可以去任何他想去的地方，
当他力尽技穷时我再与他清算总账！

“库特嘎尔巴斯那里，
我已经知道了他的情况。
‘与他会上一面。’
夜里睡觉我也曾这么想。
他们要去的话，请便吧，
到那里也不会有好的下场。

“在库特嘎尔巴斯那里，
塔盘汗和女魔，
即使由两个变成四个；
他的四十个勇士，
即使个个擅长使用长矛斧头，
锐不可当；
即使有十万大军云集，
又能将我奈何，将我怎样！

“即使有十个施展妖法的人，
把草原变成荒漠；
即使把荒漠变成鹅鸭游不出的湖泊，
即或把小丘变成鹰也飞不过去的大山，
我赛依特都不会慌张！

“阿依阔勒玛纳斯的灵魂会护佑我，
护佑我一路顺畅；
阿勒曼别特、楚瓦克、色尔恰克，
他们的灵魂永在，

他们的身影陪伴在我的身旁；
圣贤巴卡依、汗王赛麦台依，
雄狮古里斯坦都还时时显灵，
他们都会助我一臂之力。

“面对强敌我会从容相对，
身上充满取得胜利的力量。
即便搬来库特嘎尔巴斯，
还有卡勒恰那样的英雄，
我也不会胆怯惊慌。
我不会胳膊抬不起来，
我的心在胸膛里决不会哆嗦摇晃。

“来传信的使者，你回去吧，
把我的话一字不漏地讲给塔盘汗。
我知道他要我休战三日，
是要去请库特嘎尔巴斯帮忙。
你可以告诉他，让他去吧，
即使来十个库特嘎尔巴斯，
我一点也不会害怕！

“勇士塔帕克、巧依托隆、塔孜哈拉，
所有的勇士我会让他们留下，
我将一个人单独与你们大战一场！”

信使返回了肖尔阔勒，
把赛依特的激昂说词，
一字不漏地传达给了塔盘汗和女魔。

听罢此话的女魔失魂落魄，
她大惊失色，心神不定。
坐在汗位上的塔盘汗，
像在石滩上磨尽了蹄掌的劣马，
像在空中折断了翅膀的老鹰，
没了气力，头昏脑涨。

在他眼前浮现出了许多幻影，
前面是高不可攀的山峰，
他扭动脖子左顾右盼，
只见身边是陡峭的峡谷，
狼也无法找到路径。

山一样的忧虑压在脖颈，
塔盘汗失去了往日的威风。
失去了主张的塔盘汗，
两只眼睛变得呆滞无神。
长长的手臂好像折断了似的低垂着，
宽大的耳朵耷拉在脖颈上，
他像一根拴马的木桩，
蜷缩在汗位上呆若木鸡。

“从何而来的这个姑娘，
为什么偏偏让我遇见了她？
她没给我一点儿温存和好处，
为什么我要与赛依特拼死搏杀？
如果我把这个姑娘交给他，
在胸怀宽广的赛依特面前，
也许我会幸免于惩罚。

“大力士塔帕克、巧依托隆，
对我不敢说什么的塔孜哈拉，
他们每天讽刺我，
伺机看我的笑话。

“赛依特已经说明，
他要把库特嘎尔巴斯讨伐，
如果他被库特嘎尔巴斯打败了，
剩下的事情我自有办法。
如果他打败了库特嘎尔巴斯，
那陷入绝境的我也定然被他摧垮！

“到那时我将天天听着讽刺的话语，
苟延残喘，被人笑话。

“与其那样生活，
还不如与库特嘎尔巴斯联合，
坐在汗位上即使死去，
瘦死的骆驼也比马大！

“为了这个美丽的姑娘，
我历尽千辛万苦，
多少勇士的鲜血在战场上抛洒。
今天我要尽情享受，
享受美女的热情，
把她搂在我的怀里，
这是神灵给我的报答。

“在三天期限未满之前，
在赶往库特嘎尔巴斯部落之前，
我不能让自己吃亏——
管它以后是地陷还是天塌！”

塔盘汗的想法被女魔猜中：
“哼，他想让我出丑，
塔盘汗今晚梦想与我同床共枕，
我会施展魔法，
让他变得不中用。

“‘来吧，塔盘汗，
靠近一点。’
我要凝神看着他，
对他脉脉含情。
‘我会替你保守秘密。’
让他无话可说，
让他把羞愧和遗憾咽回自己的肚中。

“哈哈，我要教训一下塔盘汗，
让他干着急没有办法，
谁让他妄自多情！

“我要去库特嘎尔巴斯那里，
用甜言蜜语说服他，
与他联手躲过不祥的命运。
在库特嘎尔巴斯身旁，
有十个大力士、两个谋臣。
在锋利的长矛后边，
十万个士卒带着武器紧紧相随。
在飘扬的旌旗下面，
四十个勇士挺立，威风凛凛。

“那里有魔法师和两个助手，
如果加上我的话，
就有四个人，
赛依特肯定会被消灭。
哪怕他是多么烈的火焰，
哪怕他能坚持多少天，
哪怕他是多么勇敢的英雄！”

女魔想出了这些馊主意，
她内心暗自高兴，
在塔盘汗的那个隐秘的地方，
她施展了魔咒，
让他难以发挥作用。

“她到底是个怎样的姑娘？”
想起姑娘的热情和俊俏的模样，
年老性急的塔盘汗，
禁不住心花怒放。

早早吃过晚饭，
盼着快一点睡到床上，

天还没有黑下来，
他就快快地脱光了衣裳。

“哦，我的爱人，
我的命根儿，请你靠近我，
快点儿钻进我的被窝，
我内心的欲火比平时还要旺！
我时时刻刻看着你的眼睫毛，
等待着这一美妙的时光。
啊！我等不及了！
你的健康美丽是我唯一的愿望。

“赛依特的力量，
比过去还要强大，
我的许多勇士跟随了他，
我失去了男人的尊严，
很多百姓瞧不起我。

“这几天没有下马背，
整日忙着交战，
累得差点趴下，
让我们品尝一番爱的滋味吧，
让我们尽情享受欢乐吧，
直到太阳升起又在对面山上落下。”

塔盘汗口齿不清，
嘟嘟囔囔地说着。
一连串的甜言蜜语，
从女魔嘴里脱口而出：
“为躲避赛依特我逃了出来，
塔盘汗，我遇见了你！
啊，我尊敬的汗王，
人类的好人就是你！
做汗王就应该像你一样，
言出必践，有情有义。

“没有不和男人同床的女人，
女孩子想起男人，
辗转反侧地折磨着自己，
睫毛不眨一直到天亮。
但是再成熟不过的大龄姑娘，
第一次和男人同床，
也难免害怕紧张。
因为男人总有一种威严，
如同狮子让人心里惊慌。

“哦，粗心的塔盘汗，
女孩子很不容易，
你要懂得爱惜。

“我的贞洁，我的生命，
我的一切的一切，
都愿意献给你。

“女孩子长到待嫁的年龄，
也渴望嗅到男人的气息。
当男人的手触摸时，
女孩子感觉像熔化的铅水注入。
不由地心跳加速，
急切地企盼着下一步。

“你是熔化人的铅，
你的激情将让我十分满意。
我是石制的模具，
我等待着铅水的浇注。
你盯着我含情脉脉的眼睛，
将沉迷于无尽的欢乐之中。

“这些天来因为害怕，
我不敢靠近你，

就算到了成年，
我毕竟是个姑娘，
我胆怯，我向往，
又不敢靠近你。

“塔盘汗，我今晚就在你的手里，
我将在幸福的怀抱中享受。

“你渴望我的爱，
我会被你火热的激情熔化，
我渴望你的爱，
渴望你永驻在我的心里！

“我粉红的脸将失去光泽，
你会得到最大的满足。
你将十分激动，你将不能自持。
你满足了吗？你欢喜了吗？”

女魔说罢这番话，
眉飞色舞，暗自得意，
她的伎俩，
塔盘汗没有察觉。
狡诈的女魔，
暗地偷偷笑了，
心中悄悄窃喜。

除了赛依特，
她的魔法对谁都可以实施，
一般男人在她手下准会迷失自己。
她故作姿态地斜视着塔盘汗，
面带微笑，目光迷离，
她施展媚术，逢场作戏。

塔盘汗浑身激动，
但是被施了魔法，

浑身软弱无力。

他辗转反侧，
一夜翻了二十二次身。
时辰到了，夜晚过去了，
一直到天亮他搂着女魔，
像斑鸠似的红着眼睛。

塔盘汗可怜地哭泣了：
“从柯尔克孜部落来的赛依特，
他整我，让我丧失了底气！
一天的期限过去了，还有两天，
如何应对眼前的危机？

“整天在马背上奔波劳累，
我也年老了，缺少气力。
今晚白白过去了。
我所爱的人，
没能享受到你赐给我的幸福，
我的整个身体都畏惧你！”

塔盘汗羞愧地自言自语，
懊恼地责怪着自己。
女魔对着塔盘汗，
假装生气，搔首弄姿。

“你说要和我睡觉，
刚过了中午，你就着急，
我期盼着你的爱抚，
浑身燃着情火，
我已经不能自持。

“你让我太失望了，
以后，你爱我的话你不要再说了，
听着让人生气！

我这样说，那是对你说的，
对外人我是不会说的，
我要替你保守秘密。

“你可能是太着急，
不要太多地去想以后的事。
我再等你三年，
让我吸吮你的嘴唇，
帮你恢复活力。

“当我失望时，
我再找一个像我一样年纪的人，
我马马虎虎地嫁给他，
糊里糊涂地过后面的日子。

“如果你战胜了赛依特，
我何必再嫁别人，自讨苦吃？！
我想给你做饭洗衣，
我要一心一意服侍你！”

糊涂的塔盘汗，
听了女魔的话激动不已：
“如果你战胜赛依特，
我就不会离开你。”
昨晚发挥不了的原因，
塔盘汗根本没有任何的怀疑。

听信女魔的缠绵话语，
他准备去库特嘎尔巴斯那里，
哪怕俯首称臣，
哪怕低声下气。
把库特嘎尔巴斯争取过来，
联起手来，共同对付赛依特。

塔盘汗转过脸来，

眼望着女魔说：
“你光洁的脸像月亮一样美丽，
你甜蜜的话语让我感动不已！

“啊，美女，
你听我说，
巧依托隆、塔帕克、塔孜哈拉，
现在都聚在了一起。
在我们的队伍中，
还有他们的朋友和亲戚。

“他们的行为会影响我们的队伍，
原来归属我的百姓会因此分离，
百姓分离，我们会面临危机。
战胜赛依特，
怎样才能有足够的力量和有利的时机？

“我们去求助库特嘎尔巴斯吧！
有什么高见你说说吧，不要客气，
对别人，对百姓，
我们的想法应该取得一致。”

狡猾的女魔不动声色，
她伸长脖子，
故意装作没有主意：
“你说的是，塔盘汗，
几个月以来，
我说的每句话，
做的每件事，
都是看着你的脸色，
我的一切行动都是跟随着你的。
我也是实在没有办法，
才来到你这里。

“我与赛依特有深仇大恨，

是他让你的人血流成河。
你证明了自己是英武的汗王，
你为我争得了荣誉，
为此让多少勇士丧命入地。

“你不愧为一个男人，
在人世间顶天立地！
权力在你手里，你决定吧，
塔盘汗，我听你的，
你是我心中的雄狮！

“库特嘎尔巴斯是谁，
其他人是谁，他们在哪里，
这些，我哪里知道？
这些大事你决定吧，我的雄狮。
不管你怎么决定，
我都一心一意跟随着你！”

塔盘汗向女魔，
说出了自己的主张：
“你有翅膀能在天空飞翔，
你在水里行走好像行船一样。
从这里到库特嘎尔巴斯那里，
一个月的路程，
你一天就能到达他居住的地方，
这是你的本事，
别人不敢与你较量。

“‘是塔盘汗派我来的。’
你去告诉库特嘎尔巴斯，
我们要与他联合，
与他结成一股力量。
答应我们还是不答应，
你要探明他的真实想法。

"太阳出来之前，
你要返回我的营帐，
把库特嘎尔巴斯所说的话，
一字不漏送到我的耳旁。
我要根据你所说的情况，
决定我们下一步行动的方向。"

女魔诱骗库特嘎尔巴斯与塔盘汗合作

塔盘汗把女魔，
悄无声息地送出了营帐。
这个了不得的女魔，
很快来到了库特嘎尔巴斯居住的地方。
她把塔盘汗的问候，
殷勤地向库特嘎尔巴斯送上。
她动用所有的心计，
用动听的语言，
对库特嘎尔巴斯开了腔。

“啊，尊敬的库特嘎尔巴斯，
你抢去了塔帕克的女人，
给塔帕克带来了忧伤，
也引起民众的愤怒。
现在，塔帕克和赛依特混在一起，
看来一场风暴要起，
看来你要遭殃。

“巧依托隆、塔孜哈拉，
还有数不清的士兵，
都聚集在赛依特的周围，
他的势力不可小觑。

“他们要来对你报复，
最多不会超过五天，
赛依特会带着人马，
气势汹汹杀到这里！

“赛依特是一个凶狠无比的人，

塔盘汗与库特嘎尔巴斯联合

他不仅凶狠还是一头雄狮。
自从他年满十六岁以来，
没有人征服过他，
没有人敢与他匹敌。

“他武艺高强能征贯战，
他独自一人敢与众多人马对峙。
与他交战对抗的对手，
没有一个能够幸存，
都先后告别了人世。

“就算面对一群人，
就算射来的子弹震撼天地，
他从来不会畏惧；
就算挥舞战刀一个月，
他的胳膊也不会酸痛。
他胯下的骏马也不会气短力疲，
它冲锋陷阵，
它日行千里，
它有超人的智慧，
它有通人性的神奇本事。

“赛依特是玛纳斯的后代子孙，
他是凯耐尼木之子，
没有他不曾去过的地方。
无论炽热的烈火，
还是寒冷的严冬，
他都不放在眼里。
西方的七个巨人，
个个像山一样，
都被他无情地拿下，
轻松得就像捏死一只小鸡。

“他不相信欺骗，
对挑逗的话从不理睬。

他想要做的事情，
千方百计总要争取达到目的。

“他不说出自己的想法，
让你猜不透他的心思。
对于别人他了如指掌，
你在想什么，
他一下子就能钻进你的心里。

“我所见过的人千种万样，
没有见过像他一样怪异的。
他像澎湃的大海，
好像要把整个世界装进心里。

“他好看的胡子倒向一侧，
要见到他的笑容很不容易。
这个赛依特心里有七十二个弯弯，
任何人都不会知道他的秘密。

“他现在到了二十岁，
有着一股不服输的傲气。
柯尔克孜百姓对赛依特，
佩服得简直是五体投地！

“你的朋友塔盘汗派我来，
我来到你面前，
尊敬的库特嘎尔巴斯，
我到你这儿来诉说，
你得替我们想个法子！

“肖尔阔勒有塔盘汗大量的财富，
节提苏有我无人照看的果园，
还有我宫殿一样辉煌的房子，
这一切都应该归你所有。

"离开了自己的汗位和部落，
女人中啊，
数我最苦！
塔盘汗也遭受了战争和侵扰，
我们受侵扰的人聚集到了一处。

"离开了自己的百姓和部落，
我实在走投无路，
脸上没有了光彩，
我不怕路途遥远来向你诉苦！

"加西勒杰克[1]是你的领地，
你的百姓有六种肤色。
你是人世间难觅的勇士，
你不会轻易地被别人征服。
我无计可施，
悲伤地离开自己的部落，
我来到你的面前，
像可怜的乞丐一样无助。

"不能让赛依特知道，
我要尽快赶回去，
如果你不肯伸出援助之手，
如果你不给我一个满意的答复，
我只好带着塔盘汗踏上去东方的路。

"东方有五个部落，
他们都反对柯尔克孜，
与他们有过争端。
就算他们不站出来，
东方的地域也非常辽阔，
我们要远走高飞在那里居住。

"巧依托隆、塔帕克、塔孜哈拉，
他们会把赛依特领进你的家园，

[1] 加西勒杰克：地名，意为绿色岸边。

他们就在不远的地方，
他们不会将你轻易放过！

“我们来了会交战，
我们走了它们也会来交战，
这样的灾难躲也躲不过。
一场流血的恶战，
就要在加西勒杰克爆发！

“你强娶了肖尔阔勒所有的美女，
还把很多能干的女人拉进了被窝，
任何一个你看上的女人，
你都没有放过。
你抢夺了塔帕克的女人，
塔帕克十分难过，
他正在跟赛依特密谋对你报复！

“库特嘎尔巴斯，
你的智慧在哪里？
你有没有想过，
塔帕克会找你报仇？
塔帕克会要走他的女人，
巧依托隆会要走你的部落，
塔孜哈拉会要走你的财富，
而赛依特会要走你的魂魄！
他们会让你身败名裂，
把你的身躯和英名一起埋进黄土！

“玛纳斯留下来的传统，
凯耐尼木父子的习俗，
与他交战的人都会被消灭，
然后再夺取他的城郭。

“你美丽出众的女人，
你漂亮的女儿，

你红屁股的男孩，
你白下巴的老人和众多的奴仆；
还有你黄色的金子和闪光的宝石，
你遍地的牲畜，
他们一件不剩地会全部抢走，
不会给你留下一点儿财富！

“他们会把你的房子和你的财富，
一分不剩地分给孤寡老人和奴仆。
让他们笑逐颜开，
让他们心满意足！
就这样不用绳索，
把你的百姓拉到了自己身边，
把百姓的心紧紧拴住。

“这个世界就是这样势利无情，
你的百姓会变心跟随他们而去。
你将失去权力，
你将两手空空，
没有了汗王的威仪。

“你和你的亲朋好友的面容将憔悴，
像冬天的草一样发黄枯萎。
你的敌人会开怀大笑，
他们会用余光斜视着你，幸灾乐祸！
你会气愤得说不出话来，
你的生活将从白天变成黑夜。

“任凭你有多大力气，
像鸟一样被关在笼中。
任凭你怎样扑打着翅膀，
也飞不到蓝天舒展身躯。

“赛依特不会把机会，
再交到你的手中。

你内心里会十分难受，
这样的苦楚你向谁去倾诉？
假如你死了，
谁会为你叹息，
谁会为你报仇？

“我们与赛依特交战很久了，
十万个士卒，
五十名勇士，
都不是他的对手，
鲜血把肖尔阔勒的黄沙浸透。
如果你早早去参战，
或许我们不会输给对手。

“今天我来到你这里，
希望你助我们一臂之力。
塔盘汗是你的朋友，
不用我细说，
塔盘汗与你不能比，
我不是刻意抬举你。

“塔盘汗也是像你一样的汗王，
百姓众多，地域辽阔，
在大汗中具有相当的实力。
可是他看见姑娘就眼红，
他是一个贪婪的人，
年纪不小但十分好色。

“塔盘汗已经年过五十，
已到年老的时候气力不足。
与他并肩作战打败赛依特，
我感到缺乏底气信心不足。

“女人是被动的，
总是受到别人的控制。

与年长的人生活在一起，
没有年龄相近的人陪伴，
是女人的不幸，
我感到十分委屈！

“我受尽了赛依特的欺辱，
不愿意再忍受好色的塔盘汗的逼迫，
不愿睁着眼睛睡觉到天明，
望着旭日东升暗自叹息。
如果塔盘汗这样对待我，
我活着还有什么快乐！

“不是自己钟情的男人，
姑娘不愿意与他有身体的接触。
我急急忙忙地逃避赛依特，
找不到合适的安身之处，
遇见塔盘汗给自己带来了麻烦。
不幸的命运为什么躲也躲不过？
我的思绪像洪水般翻滚，
我像一枝鲜花在风雨中摇曳飘零。
我一直找不到一副灵丹妙药，
来解除心中的万般痛苦。”

女魔唠叨着，
嘴里嘀嘀咕咕，
左一下，右一下，
把额前的刘海，
二三十遍地抚摸。

三十五岁的库特嘎尔巴斯，
看着她楚楚动人的神情，
不禁对她动了贪婪之心，
想说的话款款流出了嘴唇。

“你说得对啊，美女，

今天你终于和我见了面！
塔盘汗年纪大了，
这个我知道。
如果你嫁给他，
你的心会冷得像冰块一般，
你的愿望无法实现。

“你说赛依特是雄狮，
你说他的年龄才二十乳臭未干，
为什么见了他你会逃跑，
不顾路途这么艰险？

“他洗劫了你的部族了吗，
是否让你血溅草原？
他强迫你做苦工了吗，
是否让你万分作难？
他抢走你的牲畜了吗，
是否给你降下了灾难？
如果不是这样的话，
你为什么要跟他作对？

“你说自己会变魔法，
为什么还要受欺凌叫苦连天？
你是怎样遇见塔盘汗的？
美女，你把事情的原委，
详详细细说给我听，
我们再商量该怎么办。”

“你既然问到了，
库特嘎尔巴斯，
像我这样有识有胆的女人，
不拒绝将心里的话儿，
向另一个倾心的人儿坦言。

“只是这其中的原委，

一句两句无法说清道明。
不等我把心里的话说完，
天就要亮了，
我无法及时回返。

“如果我连夜不返回去，
塔盘汗会和我翻脸。
他会把我送给赛依特，
然后痛苦地跑到你面前，
眼泪顺着胡子往下掉，
他会给你找很多麻烦。

“你不要拐弯抹角试探别人的秘密，
请告诉我你心中的盘算。
说真话不会坏事，
我绝不会泄漏我们的交谈。”

“很远很远的地方，
我没有去过，
很远很远部落的美女，
我没有娶过，
直到现在，
像你这样的美女，
我实在没有见过。

“在江居尔别斯的原野，
在加西勒杰克的地方，
无论是年轻的还是年长的，
无论她有没有丈夫，
丈夫是弱还是强，
只要她有美女的称号，
我都会把她抢过来的。

“‘你把他的老婆抢过来，
塔帕克不会把你放过。’

‘柯尔克孜的赛依特，
他是真正的雄狮，
你没有见过。’

“你这么抬举赛依特，
你心底的真心话到底是什么？
你说，‘说真话不会坏事。’
那好吧，
就让我把心里的话儿详细诉说。

“直到现在，
美女我见过无数，
像你这样美丽的女人，
我实在从来没有见过。

“塔盘汗年老，
你还年轻，
你不要跟着塔盘汗，
所有的事，
有我在都好解决！
我不会挑东挑西地说，
也不会像乳汁一样黏黏糊糊地说。

“如果你对我有心，
那就快回去吧，
请放心地踏上归途，
‘库特嘎尔巴斯支援我们。’
你对塔盘汗如此讲说。

“我有六种肤色的百姓，
我有加西勒杰克这样强大的部落，
我有库木萨尔魔法师，
还有库奈扎等一批长矛手。
我有塔盘汗提供高见，
我有你陪伴在我的身前身后。

我有十个大力士，
我有两位大臣辅佐左右。
我还有四十个首领，
我拥有这样强大的力量，
我还有什么担忧？

“那个赛依特，
别说是一个，
就是一百个，
他也会在我面前败得粉身碎骨，
我不会让他轻易地从我身边溜走！
如果你对我言而无信，
如果你反悔，
如果你背弃了我，
我会把你也一起消灭。

“如果谁与我对抗，
我要让他变成地上的泥土。
如果谁与我作对，
不要说人，就是动物，
也休想从我手中逃脱！

“我有三十二头大象，
还有雄狮和老虎。
十万士卒如狼似虎！
把你听到和看到的，
请都转告给塔盘汗，
一字别漏！

“凯耐尼木之子赛依特，
如果胆敢追踪你们，
我就让他的世界变得狭窄！
任何人都不知道，
我的本事还有很多很多……”

对女魔动了心，
库特嘎尔巴斯唾沫横飞，
骄横的话语滔滔不绝。
听到这一切，
女魔暗自欢喜，心里有了数。

“他如果能战胜赛依特，
那是我的幸福；
他如果被赛依特打败了，
那我再另谋其他的出路。”

她心里盘算着说了声“再见”，
慌慌忙忙踏上了归途。

她施展魔法赶了回来，
用了不大的工夫。
为了显示自己的劳累和功劳，
见了塔盘汗对那些礼节也不管不顾：
“起来，尊敬的汗王，
我回来了！
你吩咐的那些事，
我已统统办妥！

“后天天亮以后，
交战的期限就到了。
起床吧，塔盘汗，
今天晚上，
我们就赶快上路！”

她派人通知，集结队伍，
前往库特嘎尔巴斯的领地。
塔盘汗和狡诈的女魔，
大约在拂晓时分，
赶到了库特嘎尔巴斯那里，
他们高兴地盘算着，

心里得意扬扬。

我们把这些暂且放下，
赛依特和库特嘎尔巴斯如何交战，
精彩的故事我就从这儿唱起。

赛依特与库特嘎尔巴斯的大战

赛依特与库特嘎尔巴斯战前准备

塔盘汗逃跑了，
逃向了库特嘎尔巴斯的部落。
巧依托隆来到了赛依特跟前儿，
向英雄通报了塔盘汗逃跑的消息。

勇士塔帕克和塔孜哈拉，
阔努什拜也赶来了，
英雄们格外心急。
大家聚集在了一起，
商量着行动计划。

赛依特说：
“站着腿困，大家都坐下来吧，
听我说，不要客气！
勇士巧依托隆、塔帕克、塔孜哈拉，
你们都回部落去吧，
代我问候众乡亲，向他们致意。

“只有你，
阔努什拜，
你暂时留在我的身边，
去找库特嘎尔巴斯算账。
如果苍天护佑我们，
如果玛纳斯的灵魂陪伴着我和你，
与库特嘎尔巴斯交战，
我们一定会取得胜利！”

听赛依特这样说，
塔帕克哭了，

巧依托隆也伤心难过。
塔孜哈拉和阔努什拜都痛哭不止，
英雄们的眼泪流淌不息。

塔孜哈拉是个真正的男人，
肖尔阔勒的百姓将他称为“智囊星”。
他用袖子把眼泪擦了擦，
对着赛依特开了腔：
“雄狮赛依特，
你为什么这样抛下我们？
舍不得让我们受苦，
大家都明白你的良苦用心。

“如果我们留在这里，
女魔马上会如一阵狂风卷土重来。
凶残狡诈的女魔，
怎能大发善心！

“与其待在这里让女魔杀害，
还不如勇敢地奔赴战场，
与库特嘎尔巴斯厮杀拼命！
我们不愿留在这里，
我们愿和你一起走上战场！

“在塔盘汗面前，
我们曾唯命是从，
如果与敌人交战，
他往往让我们奋不顾身。
到后来，
饥饿冷暖无人过问，
我们还不如一只流浪狗。

“从塔盘汗和女魔那里，
你救出了我们，
大战在即要我们远离战场。

就你而言是爱护我们，
对我们来说，
是一种委屈，
你低看了我们。

“无论是好事还是坏事，
无论前路险恶还是平坦，
我们都愿陪伴着你，
与你不离不分。

“我们也算是英雄好汉，
我们不是怕死的鼠辈躲在洞中。
为了伸张正义，
赴汤蹈火我们愿打头阵。”

塔帕克站了起来，
巧依托隆和阔努什拜，
也都挺直了腰身。
四个人走上前去，
大声地向赛依特请求：
“不要把我们留下，
我们会被女魔夺去性命，
我们愿跟随着你，
与你生死相从！”

赛依特暗暗思忖：
“塔孜哈拉说得也对，
如果我把他们留在这里，
女魔肯定会乘机而来，
喝他们的血，
害他们的命。
在这生死攸关的时刻，
我不能抛下他们，
让他们遭受不幸！”

汗王赛依特果断地挥了挥手：
“出发吧，勇士们，
让我们日夜兼程！”

勇士们欣喜若狂，
翻身上马，
率领四万兵马浩浩荡荡出征。
他们跟着英雄赛依特，
毅然奔向远方。

塔盘汗和库特嘎尔巴斯，
互相见面，在一起拥抱。
所有的首领都到齐了，
互相谦让着走进了大门。

赛依特赶往这里的消息，
他们的魔法师已了然于胸。
魔法师库木萨尔叫嚣着，
向诸位宣扬他不凡的本领。

“库特嘎尔巴斯和塔盘汗，
还有各位勇士，
你们听着：
面对疯狂的赛依特，
我要显示一下我的本领。
我要让他的眼睛看不见，
我要让他的耳朵听不清，
我要让他束手无策甘拜下风。

“我要把赛依特，
喂给那些老虎和蚊虫。
我要他变得毫无人样，
我要让他像个畜生！

“充当大力士的塔帕克，

我要让他变成一只蝎子；
巧依托隆和塔孜哈拉，
我要让他们变成刺猬和蛇。
我要让他们互相争斗，
一个把另一个咬死！

“我要把我的苍蝇都召过来，
把赛依特的双手用皮绳牢牢捆绑，
我要骑上他的骏马，
拉着他在塔拉斯示众。

“我是著名的魔法师，
我怎能袖手旁观？
我要这样折磨柯尔克孜，
将让你们当成好戏观看！”

听了魔法师的一番话，
库特嘎尔巴斯的十个大力士，
一个个躁动不安，
情绪十分激动，
勇士库奈扎尤为愤愤不平。

“对祸害大地的柯尔克孜，
你用魔法制伏了他们。
如果不与柯尔克孜交战，
那我库奈扎和勇士们还有何用！

“把你的魔法先放一放，
我们要用长矛与他交战。
如果我的力量不够的话，
还有十个大力士跟在后边。

“擅使长矛是我的本领，
我是天下无敌的英雄，
我的长矛怎能将他轻饶。

就算他是阔依卡普[1]中的一座大山，
我也要冲上去把他刺翻！

“你们的眼前会突然一亮，
见识了我的勇猛威严。

“‘自从他十六岁以来，
曾消灭过无数敌人，
掀动过几座大山。’
人们过去曾这样称赞我。

“我要前去与赛依特较量，
‘消灭了勇士赛依特，
是库奈扎将他刺翻！’
这样人们会更加赏识我。
我的名气会从此大振，
人人都知道我的本领和勇敢。
英雄不与强敌交战，
那我就枉活在人间！”

情绪激动的库奈扎，
在库特嘎尔巴斯帐中，
吼声如雷震碎石头。
他疯狂的举动，
犹如刮来一阵狂风。
听了库奈扎的话，
爱说大话的魔法师受到了数落，
他比库奈扎还要激动，
声音哽咽，
说话有点口齿不清。

“拿下赛依特，
英雄的美名是你，
我的本领如何显示？
库木萨尔是多余的吗？

[1] 阔依卡普：有万山之意。

库木萨尔不是闲置的摆设。
有我在这里，
你算老几？！
你的胳膊再粗，
最多能拿下一个柯尔克孜。
我有法术，
能拿下一千个勇士！

“如果你再跟我执拗，
我就让你像赛依特一个样子。
我要给你脖子上套上链子，
让你瞧瞧我的厉害。

“不要幻想，库奈扎，
我会在你的马奶酒里掺上沙子！
我知道啼鸣时你有一副好嗓子，
我清楚行动时你有一副好身子，
我会让你的下半身变成石头。
库奈扎，我要让你知道，
库木萨尔不是好惹的！”

魔法师和勇士，
谁也看不起谁，
他们毫不退让大声争吵着。
狡诈的女魔看到这个场面，
她是这样说的：
“库奈扎勇士，
库木萨尔法师，
你们这样争吵，实在没用，
我对你们很失望很担心！

“嗜血的柯尔克孜赛依特，
他不是一个一般的英雄，
可能只有大汗库特嘎尔巴斯，
经过艰苦的战斗才能将他战胜！

“库奈扎，你力气很大，
库木萨尔，你很有本领，
可是你们都不是他的对手，
轻敌上阵只能送命！

“从前，在遥远的西方，
居住着七个巨人，
在黑海边的阿热阿勒，
居住着一个叫居仁朵的巨人。
他都被凯耐尼木消灭了，
如今已经消失得无影无踪。

“据说，那个叫居仁朵的巨人，
在世上活了几千年。
他消灭过八万士兵，
他的神威天下闻名。

“索然迪克汗的儿子苏少爷，
在幼年时候曾经是居仁朵的高足。
居仁朵一时利令智昏，
‘我要送你一件礼物，
它可以让你一生平安，
它可以让你纵横天下。’
他要将自己神奇的匕首，
送给苏少爷作为礼品。
就是这把匕首，
给他自己带来了灭顶之灾，
也给后人带来了不幸。

“这个世界所有的人，
从一开始就难逃有过错的命运。
居仁朵送给苏少爷神奇的匕首，
到头来却让他夺走了自己的性命。

“索然迪克汗的苏少爷，
被他父亲伤害了感情。
他到了阿依达尔汗的阔克确那里，
取名阿勒曼别特，
曾在阔克确的部落栖身。

“阿依达尔汗的阔克确汗，
缺乏别的部落首领那样的忍耐与胸襟。
阿勒曼别特最终离开了他，
投奔到柯尔克孜人那里，
玛纳斯对他像亲兄弟一样。

“自从有了人类在世界各地繁衍生息，
人们建造城郭，定居其中。
契丹人的都城，
自古以来外人不敢入侵。

“柯尔克孜英雄玛纳斯率众远征，
是阿勒曼别特把他带到契丹人的都城。

“玛纳斯远征到契丹人的都城，
居仁朵闻风而逃，
像一阵远去的大风，
他越过远处的大山，
躲到大海的岛屿之中。
阿勒曼别特把救命的匕首，
传给了儿子古里巧绕。
古里巧绕神通广大，
把匕首又传到了凯耐尼木手中。

“凯耐尼木消灭了居仁朵，
从此被称为‘黄脸死神’。
他把居仁朵的魔法衬衣脱下来，
穿在自己的身上，
从此他增添了更大的神通。

凯耐尼木吃下了居仁朵的舌头，
从此他学会了七十二种语言，
并且能够运用自如。

“赛依特出征之前，
他的父王凯耐尼木，
把魔法衬衣给儿子穿在身上。
又把阿勒曼别特的匕首，
交到儿子的手中。
还有先祖玛纳斯的苹果头神枪，
以及天下无双的色尔矛枪，
都交给了赛依特。

“我虽然魔法通天，
但魔法对赛依特不起作用。
因此，我实话告诉你，
库木萨尔，你的那点魔法，
对赛依特没有任何作用！

“凯尔克提北面的喀拉朵人高马大，
是个名副其实的巨人。
他有五个儿子，
还有魔法无边的老婆，
他们能征善战个个勇猛过人。
在阔克奥赞[1]原野的一场恶战，
他们都在赛依特的手中送了性命。

“凯尔克提的汗王苏来玛特，
费尽心思绞尽脑汁，
把赛依特骗进人迹罕至的红沙漠。
以卡勒恰为首的七个巨人的后代，
都没有将赛依特拿下，
反而在他手中丧生！

“如今塔盘汗的勇士们，

[1] 阔克奥赞：地名，意为蓝色河滩。

一个都未能把他战胜！

“现在赶到这里的这个年轻人，
是个不好对付的凶悍之人。
就连库特嘎尔巴斯，
他也不会放在眼中。
一般的勇士，
不要说九个、十个，
就是一千个，
他也不会临阵胆怯。

“赛依特年龄有二十岁，
他的头像巨大的山峰，
眉毛像卧着的绵羊，
胸脯宽阔，两腿修长。
他胯下的铁勒库荣骏马，
出类拔萃，蹄力超强。

“不要以为我害怕赛依特，
在这里故意将他夸奖。
心平气和，平心而论，
他是超群出众的战将。
你们不要在此空谈闲扯，
要锻炼臂力，紧握矛枪。
谁是英雄谁是胆小鬼，
见证在搏杀的战场。

“你想知道他的身材，
他不是又矮又小，
也不是细长而随风摇晃。
他不是那种矮短而粗壮，
也不是笨手笨脚肥肥胖胖。
他的身材魁梧匀称，
浑身肌肉结实灵敏异常。
如果你有丝毫放松，

他能极快地连刺出十几次矛枪！

“这一次库奈扎可率先出战，
没等他准备好，
你就先下手为强。
但愿你首战顺利，
旗开得胜！

“持续地与他交战，
像蛟龙一样缠住他，
让他累得筋疲力尽！
在赛依特没有到来之前，
赶快抓紧准备吧，
不要耽误时辰！
要鼓足勇气勇敢迎战，
必须抱有必胜的信心！”

女魔分析完眼前的形势，
并代库特嘎尔巴斯发布了命令：
“库奈扎你率先出战吧！”
库木萨尔也没有说话，
他静静地站在一边，
不敢再吭声。

库特嘎尔巴斯和塔盘汗，
默许了女魔发出的战斗命令。
“我有机会了！”
库奈扎准备率先出战了，
他傲气十足，
似乎已经获胜。

双方勇士激烈交锋

要求出战的心愿实现了，
库奈扎显得非常兴奋。
赶来出战的库奈扎，
他的气势让山石也裂开了缝。

他抑制不住激动的心情，
揣着粗粗的胳膊，
绷紧了袖筒，
骑着库恰甫达尔马出城。
十万个士卒，
五个大力士，
一排一排并列着，
紧紧跟随在库奈扎的身后，
这般来势十分凶猛。

正赶往这里的赛依特，
在远处就能看到他的身影。
在赛依特的身后，
跟着勇士塔帕克和巧依托隆，
还有智勇双全的塔孜哈拉。
他们精神抖擞，
一齐策马前行。
跟随而来的阔努什拜，
有赛依特勇士在身边，
他的心里踏实而又轻松。

库特嘎尔巴斯的大将库奈扎，
没有经过正规的训练，
约定俗成的规矩他不懂。

他不会按章法出战，
像强盗一样袭击对方，
已成为他的习惯。

胸无城府的库奈扎，
甩开众人，一马当先。
有一个叫俄克巴力奇的人，
冲了过来与库奈扎肩并着肩：
“我跟着你，已有多年，
一对一地交手，
我们以前从没有这样交战。
你自己第一个冲上去，
这样出战是否周全？

“你的五个大力士，
一个也没有落下，
都跟随着你一齐出战。
他们自称是大力士，
整天趾高气扬为所欲为，
到底能耐多大，
只有在战场上见识。

“托你的福，
你养了我们很多年，
庇护着我们，
让我们活得十分舒坦。
你尽心尽力宠着我们，
让我们才有了今天。

“你平日里那么厚待我们，
临上战场了，
我们怎能落在后边？
你就让我们先上吧，
勇士们愿为你先与对手决一死战！

“如果我们在战场牺牲了，
可以安抚亡灵在地下长眠，
可以鼓励生者勇猛向前。
复仇的人，有你在，
我们没有后顾之忧和额外的负担。

“在战场上，
我们如果躲在你的后面，
有谁会在乎我们，
不把我们当作笑谈？
不仅赛依特会笑话我们，
塔盘汗也会笑话我们，
会把我们轻看！

“就算没有在战场牺牲，
我们眼里流出的不是泪水，
喷出的是愤怒的火焰。
心里盛不下的，
是屈辱的血和无尽的怨！”

听了俄克巴力奇的话，
库奈扎勒住了马缰立在阵前：
“那你就先上阵吧！”
他向俄克巴力奇发出命令，
鼓励俄克巴力奇奋勇当先。

“我比别人聪明能干，
被头领命令冲在最前面。
我知道该怎么做，
我要有惊人的表现！”
自以为是的俄克巴力奇，
骑着一峰骆驼勇猛地冲进战场气势不凡。

铁制的盾牌，
在后背晃来晃去，光亮闪闪。

他双脚夹蹬着骆驼的肋骨，
骆驼伸长了脖子瞪着双眼。
他“杰克——杰克”地呼喊着，
来势凶猛，不可一世，
呐喊声震裂石山！

勇士塔帕克翻身下马，
俯首对赛依特开了言：
“他们不懂交战规矩，
没经过正规的训练。
没有插旌举旗，
没有战前通报，
只有一个人骑着骆驼，
气势汹汹地杀向这边。

“我的血在血管里翻腾，
我的心在胸膛里燃烧着火焰。
像这样没有规矩的人，
令人难以容忍他嚣张的气焰！

“让我见识见识这位大力士吧，
我要放马前去与他交战！
请同意我的请求，
塔帕克在这里向你请战！”

赛依特在马上看着塔帕克，
目光坚毅而又充满期盼：
“勇士，你要去就去吧！
但行动要注意分寸，
不要让怒火蒙住了双眼。

“如果他听劝诫，
就请你把他带到我的面前，
如果他要求给点时间，
你就允许他，

给他一定的宽限。
不要随便将他杀害，
你也要保护好自己平安回返！”

听了赛依特的话，
勇士塔帕克勇敢上前迎战。
与赛依特相处几天，
他们已经心心相印无须多言。
塔帕克坚定地跨上战马，
策动战马奔驰向前。

不问对方的姓名，
也不调转骆驼的头朝来路回返，
俄克巴力奇顾不了那么多。
他使出全身力气，
挥舞着长矛，
好像要一下子把对方刺翻。
俄克巴力奇呐喊着冲杀过来，
犹如一只饿狼冲出了荒山。

塔帕克把俄克巴力奇刺来的长矛，
手腕轻轻一抖挡到了一边。
没等俄克巴力奇调转矛头，
勇士塔帕克侧身腾出手，
一把伸向他的腰间，
顺手抓住腰上的铁链子，
把山一样庞大的俄克巴力奇拽下马鞍，
狠狠地摔倒在地面。

塔孜哈拉和阔努什拜，
乘机飞马向前，
他们把俄克巴力奇捆了个结结实实，
押到赛依特的面前。

库奈扎的四个大力士，

依次走上战场，
年轻的雄鹰塔帕克，
不愧为柯尔克孜的勇士。
他不带武器赤手空拳，
躲开长矛与对手对峙。
四个像山一样的巨人，
被他依次扯下马来哀号不止。
塔帕克把他们全都押了过来，
命令他们匍匐在赛依特面前。

失去了五个大力士，
库奈扎的手臂好像被折弯了似的。
“我不该轻信俄克巴力奇的话，
我好糊涂，
我不该如此轻敌！”
他不认识赛依特，
生擒了五个大力士的人，
库奈扎以为就是赛依特。

他急火攻心异常气愤，
所有的怒气都在脸上聚集。
他胡须在风中胡乱地飘散，
浓黑的眉毛拧在了一起。
他弯曲着细长的脖子，
矛尖闪着光亮，
胸膛里憋着一股怨气。

他两只脚狠狠地踩着马镫，
双腿紧紧地夹住马的肚子，
勇士库奈扎风风火火地冲杀过来，
嗒嗒的马蹄声震响大地。

“他能有多大的能耐？”
在马上观察的赛依特，
沉着应对，

脸上显出几分轻蔑。

库奈扎和塔帕克比起来，
本领不差上下，英雄气概相似，
只是塔帕克的坐骑，
多少有点儿逊色，
少了点儿力气。

勇士塔帕克和库奈扎，
两个巨人在荒野上展开了拼杀。
双方不问对手的姓名和来历，
就开始短兵相接毫不客气。

像两匹冬天发情的公驼，
他们奋勇交战纠缠在一起，
鲜血飞溅在武器上，
两个勇士互相拼搏难分胜败。

这是一个很残忍的场面，
双方揪着对方的衣领喘着粗气，
两个人又撕扯着对方的铠甲，
拼死搏杀，不依不饶。

鲜红的血在双方的脸颊上流着，
他们累得急促地喘息，
仍互不相让。
双方把鞭子抽过去，
缠绕住了对方的身体。

他们都从马上摔下来，
肩抵着肩扭打在一起。
交战了整整两天时间，
仍然相持不下，
难分胜负。

双方等待得都不耐烦了，
塔盘汗和库特嘎尔巴斯，
他们各自指挥自己的大军冲杀过来，
那气势如洪水铺天盖地。
两个大臣，五个大力士，
强大的训练有素的四十个勇士，
还有三十二头大象，
六只老虎，六只雄狮，
随后跟着十万个士卒。
大军浩浩荡荡地掩杀而来，
向赛依特显示着骇人的威力。

作战不讲规矩的库特嘎尔巴斯，
呐喊着冲杀了过来凶猛无比。
勇士塔帕克见状，
转身退回阵中。

“我现在就刺中他！”
库奈扎趁机冲了过来，
高兴得忘乎所以。
六只老虎，六只雄狮，
与许多士兵一起冲了过来，
呐喊声惊天动地。

巧依托隆和塔孜哈拉，
看着老虎和士兵，
瞠目结舌。
他们眼睛一眨也不眨，
面对强敌有点儿不知所措。

库奈扎距离勇士塔帕克，
还有一毛绳长的距离，
赛依特赶紧来到了战场，
他高呼着“玛纳斯”的口号，
响亮的喊声惊天动地。

英雄骑的骏马，
两只耳朵向后收着，
四蹄生风，向前猛冲。
在绿草地上，
在蓝天白云下，
把尘土扬向天空。

当赛依特在战场上出现，
当听到“玛纳斯”的呼声，
不要说是库奈扎，
就连库特嘎尔巴斯也十分惊恐。

看见赛依特策马出阵，
一群老虎和狮子顿时跑得无影无踪。
原来是狡诈的女魔施展的伎俩，
惹得勇士们虚惊一场。

赛依特挥起长矛，
毫不留情地刺出致命的一枪。
库奈扎应声跌下马鞍，
殷红的鲜血流了一地。
当赛依特回过头时，
只见地上的血迹，
却不见了库奈扎的踪迹。

原来是库木萨尔施用魔法，
用一个木偶代替，
把库奈扎救起。
他把所有首领召唤在一起，
掩护库奈扎匆匆撤离。

从库特嘎尔巴斯的战阵里，
突然传出一阵奇怪的声音令人惊愕：
高大的大象来了，

短短的尾巴甩动着；
凶猛的黑熊来了，
满身的黑毛披散着；
凶恶的狮子来了，
睁着双目怒吼着；
凶狠的老虎来了，
张着吃人的大口。

火焰来了，翻滚着，
洪水来了，翻卷着，
大风来了，呼啸着。

蟒蛇来了，弯弯曲曲，
两只骇人的眼睛闪烁着；
公驼来了，疯狂地咆哮着，
宽大的口中喷吐着白沫。

公牛来了，竖着耳朵，
四蹄腾空奔跑着；
狐狸来了，拖着长长的尾巴，
龇牙咧嘴，不停地号叫着。

豺狼来了，冷笑着，
猎犬来了，狂叫着，
花豹来了，狂啸着。

山鸦呱呱鸣叫着，
秃鹰硕大的翅膀扇动着，
老鹰上下翻飞着，
游隼大喊大叫着。
猎隼展翅划过天空，
天下的猛兽恶禽，
铺天盖地向英雄们冲来。
唯有苍鹰和金雕没有来，
除此之外的猛兽恶禽，

都发出各种不同的声音围攻了过来。

除了赛依特，
塔孜哈拉和阔努什拜，
勇士塔帕克和巧依托隆，
还有他们身后的众多士卒，
一个个心惊肉跳，
浑身哆嗦着动弹不得。

有的人吓得脸色苍白，
缩着身子说不出话来；
有的人吓得站立不稳，
尿湿了裤子脚步难以迈开。

众人以为世界的末日就要到了，
愣在那里傻傻地发呆。

只有凯耐尼木的儿子赛依特，
冷眼观看着，
巍然挺立在马背。
他头盔上的缨络，
迎风轻轻飘摆。

英雄赛依特陷入了沉思：
“太祖玛纳斯的灵魂，
现在也许正在往这儿赶来。
我的太祖母卡妮凯，
也一定会与他同行来到这里。

“阿勒曼别特和楚瓦克这一对勇士，
太祖父色尔哈克和赛热克，
还有圣人巴卡依和阔绍依；
我的曾祖父赛麦台依和古里斯坦，
还有曾祖母阿依曲莱克；
我的祖父大力士赛依铁克，

还有我的祖母仙女库娅勒，
这些人类中最善良的人，
会给我帮助，给我力量！

“我的父亲留在塔拉斯，
我现在的处境，
他是否已经知道？
自尊自爱的母亲绮妮凯，
她是否也会来到这里？

“狡诈的女魔和库木萨尔魔法师，
我的对手现在都在这里，
如果我倒在了这里，
他们就会进犯塔拉斯，
对父王凯耐尼木的士兵与民众，
疯狂地屠杀与凌辱。

“对白毡帽的柯尔克孜百姓，
对白下巴的老人，
对攥着小拳头的孩子，
他们会如狼似虎地扑向前去，
毫不留情将他们屠杀干净！”

瘸腿匠人为先祖制造的武器，
阿勒玛巴什神枪背在肩上。
赛依特从肩膀上取下神枪，
毅然把枪弹填满了枪膛。

果敢的勇士赛依特，
对着燃烧的火焰，
对着汹涌的急流，
毫不犹豫地点着了火捻。

随着一声震天的枪响，
天空的飞鸟，

地上的毒蛇猛兽，
还有燃烧的火焰和汹涌的洪水，
眨眼间奇怪地消失了，
地面上只留下一群大象！

被刺中的库奈扎，
被魔法师救起，
躲在一旁疗伤。

库木萨尔魔法师，
库特嘎尔巴斯，
狡诈的女魔和塔盘汗王，
他们都失去了以往的威风，
变得慌里慌张不知所措。
“大象会有办法的！”
他们把战胜赛依特的希望，
寄托在了大象的身上。

勇士塔帕克、巧依托隆，
塔孜哈拉、阔努什拜和其他的战将，
大家全都露出了会心的笑脸，
心情顿时变得轻松舒畅。

“玛纳斯！玛纳斯！”
勇士和士兵们高呼着口号，
站立在赛依特身后。
刚才大家还胆战心惊，
现在胜券在握气氛大不一样。

库特嘎尔巴斯这一边，
得意忘形的丑态一扫而光，
士兵们人心惶惶，
没有了一点主张。

库特嘎尔巴斯无计可施，

放出了他训练有素的大象。
大象共有三十二头，
跑在最前面领头的，
是一头喝血的公象，
它身材高大，威猛雄壮。
大象的鼻子，
被库特嘎尔巴斯用铁网罩着，
在象鼻子尖端，
一只钢制的长矛在上头安装。

大象冲了过来，
细细的尾巴左右上下甩着，
鼻子上装着的矛枪足有一条缰绳长。
大象跑动起来全身都在摇晃，
浑身肌肉不停地抖动，
喘息的声音如海啸一样。

天下无敌的赛依特，
他的胆略与一般人不一样，
他从容地抽出战刀紧紧地握在手中。
雄狮的神奇战刀，
搏杀时会自然伸长缩短。
锋利的刀刃，
削铁就像削木头一样。
刀尖上闪着逼人的火光，
在他的刀下无人能轻易地逃亡！

不能让大象得逞，
他侧身挥刀砍向领头的大象，
大象被砍成两半倒了下去，
像土崖崩裂，
“轰”地发出一声巨响。

赛依特调转马头冲杀过去，
又砍倒了两头大象。

其余的大象见状都返身逃回阵营，
蹄子触地时发出巨大的声响。

赛依特勒马站定，
好一副英雄模样！
他召唤阔努什拜过来：
“阿勒玛巴什神枪你高举着，
女魔就不会再有新的花样。”
在红沙漠的荒野，
与卡勒恰对峙的时候，
那愤怒的表情，
又重现在他的脸上。

二十岁的英雄，
追赶着大象，
浑身充满了信心和力量。
当追到最后的时候，
跑到前面的五头大象死了，
就剩下了二十几头大象没命地逃亡。

本来就是牲畜嘛，
在库特嘎尔巴斯士卒的队伍里，
到处穿越，胡跑乱闯。
士兵的队伍被冲散了，
战场一片混乱的景象。

这时，负了伤的库奈扎，
乘势赶了过来：
“我要避开赛依特，
我暂时先不与他交战。

“那个自以为是的勇士塔帕克，
我要与他再较量一番。
动摇军心的巧依托隆，
还有那个有心计的塔孜哈拉，

我要把他们三个一起挑在长矛上，
让肖尔阔勒的百姓睁眼看一看！”

他这样盘算着，
策动着骏马，
小心翼翼，
不让赛依特看见，
在士卒的最外层，
偷偷地行进在树丛的边缘。

库奈扎不小心被人们看见了，
人们大喊大叫，
勇士塔帕克毫不迟疑，
从队列中冲了出来，
策马向前。
挥舞着战刀，
勇敢地冲向库奈扎。

勇士塔帕克出现在库奈扎面前，
像一座大山似的巍然屹立：
“库奈扎，你等一等，
对一个勇士来说，
偷偷地袭击对手，
是一件很不光彩的事情。
你躲躲藏藏冲我而来，
你还有点儿男人的样子吗？

“你的靠山取名加勒塔依巴斯，
百姓知道的名字是库特嘎尔巴斯。
你依靠库特嘎尔巴斯，
追随在他的身后，
你只能算是个奴仆。

“我离开了塔盘汗，
也算是赛依特的奴仆。

我和你都是奴仆，
我们今天就在这里再一决高下。
两个奴仆对峙，
掂量掂量对方到底有多大本事！”

库奈扎听勇士塔帕克诉说，
自己只是汗王手下的一个奴仆，
心高气傲的他顿时燃起了怒火，
汗水沿着脊椎一直往下流。
他脸色一会儿青，一会儿紫，
鼻翼起伏直喘粗气。
他怒气冲冲地挥舞着长矛，
面对塔帕克发起了凶猛快速的攻击。

勇士塔帕克和库奈扎，
伸出带血的长矛，
愤怒地展开了生死拼杀。
他们用长矛对刺，
矛枪相碰震麻了对方的手臂；
他们用斧头对砍，
飞溅的火星闪烁在天际；
他们用大锤相击，
撞击的响声响彻大地。

他们的盾牌被击碎了，
肋骨都受了重创，
身体麻木把疼痛忘却。
他们把宝贵的性命，
悬挂在一根细细的毛绳上。
你来我往不停地拼杀，
不知疲倦欲拼个你死我活。

赛依特初战库特嘎尔巴斯

赛依特的士卒，
追赶着大象向前奔跑。
库特嘎尔巴斯的士卒，
吓得避开大象往回逃跑。

士兵们聚集在旌旗下面，
个个怕被大象踩倒。
库特嘎尔巴斯目睹这一切，
心里默默地念叨：
“如果让士兵继续作战，
队伍将要损失一大半。
旌旗上绣着我们部落的标志，
如果没有让赛依特击败，
而是让我自己的大象踩踏，
对我库特嘎尔巴斯来说，
那就丢尽了脸面！”

库特嘎尔巴斯冲到前面，
打算把大象挡回去。
那些奔跑的大象，
根本不听他的使唤。

“我要让赛依特看看我的气力！”
库特嘎尔巴斯想到这些，
向大象凶猛地挥去刀剑，
三头大象霎时被他砍成两半！
不要说一刀砍死三头大象，
就是一刀劈死成排的大象，
英雄赛依特也绝不会心惊胆战！

库特嘎尔巴斯越过象群，
又向赛依特挥动刀剑。
“赛依特你的死期已到！”
他虽然口里这样喊着，
但当他面对赛依特时，
心里还是感到忐忑不安。

冲杀时喊着自己的名字，
这是库特嘎尔巴斯的习惯，
这时他坐在马背上，
对年轻的雄狮赛依特开了言：
“我取名叫加勒塔依巴斯，
与我交战的人无一生还，
百姓称我库特嘎尔巴斯，
赛依特，你还年轻，
我劝你不要与我为敌，
趁早收兵保住自己的脸面！

“我听说你去过西方，
苏来玛特美丽的女儿克勒吉凯，
被你娶回了家园。

“不可一世的赛依特，
听说还消灭了七个巨人的后代！
今天我要为他们讨还血债！
把他们的英灵祭拜，
我要让你知道我的厉害！

“你到过节提苏，
还想让一个被你称作‘女魔’的姑娘，
倒向你的胸怀。
你还愣在那里做什么？
你还不如一个女孩，
难道不觉得羞愧？！

“是被你称作‘女魔’的美女，
告诉了我这一切，
我才知道了这其中的原委。
那个美女现在到了我这儿，
她不愿意嫁给你才将你躲开，
赛依特，你最好乖乖地滚开！

“被大众公认的美女，
我要娶她为妻，
把她拥抱在怀里。
只有我才是她的如意郎君，
娶她为妻，
我问心无愧！

“赛依特，
你不是一个男人，
你是一个不明事理的小孩。
你做着一个男人不该做的事，
难道不觉得丢人？
看看你今天这样的所作所为。

“追着一个不愿嫁给自己的姑娘，
追得她四处漂泊，无家可归。
‘女魔’是你对她的侮辱，
你为何将清白少女的名声败坏？
你还算是什么英雄好汉，
你白白地活到了二十岁！

“白发苍苍的塔盘汗，
也到我这里来告状，
要我辨明黑白，
他也在我面前辨明了是非。

“在我刚出生的时候，

父亲就知道我是一个勇士，
对我精心栽培。
我长大以后，
成为顶天立地的英雄，
世上没有人能将我战胜。
赛依特，你想一想，
你怎能从我这里逃生！

“今天你贸然侵入我的地盘，
我要让你年轻的生命有来无回！
然后我马不停蹄地，
直直地杀向塔拉斯，
再把柯尔克孜人的色尔城捣毁！
我要灭掉到处横行的凯耐尼木，
让他的血流得像往地里浇水。
我要把你刚娶过门的克勒吉凯，
作为战利品带回来，
心安理得地抱着她酣睡！”

没有胡子的库特嘎尔巴斯，
短下巴的库特嘎尔巴斯，
像一只落水狗猛然跃出了水面。
他紧握着长矛冲杀了过来，
两边的嘴角甩着唾沫。

他矮小肥胖的身材，
像蘑菇一样左右摇摆。
他脸上的汗毛都竖了起来，
看上去活像一只刺猬。
鼻子像牛犊一样鼓胀着，
拼命显示着自己的神威。

周围的树木，
像受到狂风突袭，
树叶发出瑟瑟的声音左右摇摆。

地上的沙子像有了生命似的，
纷纷向后倒退。
所有的石头都松动了，
大地像塌陷了似的直往下坠。
壁虎和乌龟不知该往哪里逃窜，
吓得动弹不得。
天上的风都停止了，
飞鸟吓得不敢展翅高飞。

勇士赛依特，
镇定地站立在阵中。
当矛尖快要刺到他时，
他闪电般地抽出斧头，
轻轻快速一击，
那矛尖从身边被打飞。
被斧头击中的长矛，
向天空飞去。
长矛没有白白落地，
落在库特嘎尔巴斯的军中，
砸倒了三十六个士兵。
亲眼见到此情此景的人，
惊得屏住了呼吸。

气力旺盛的库特嘎尔巴斯，
顾不得理会这样的事情。
他召唤着身后的士卒们，
快抬来一柄长矛，
他要继续拼杀不想停手罢休。

五十个士兵吃力地抬着长矛，
送到了他的手里。
他憋足了全身的力气，
掂起长矛又向赛依特刺去。

“我要让他死而无憾！”

雄狮之子赛依特，
镇定地看着库特嘎尔巴斯。
他胯下的骏马，
兴奋地跳动着四蹄。
它不愿停留在原地，
一副跃跃欲试的样子。

手持长矛的库特嘎尔巴斯，
叩动马肚发起新的一轮攻击，
那长矛发出的巨响分外怪异。
头上的毛发竖了起来，
脸颊上的胡须竖了起来，
他面目狰狞凶恶无比。
“我要让你见识见识我的厉害！”
他高呼着自己的名字。

他胯下不知疲劳的骏马，
四蹄弹动把尘土扬向天际。
前一次，
他的长矛被挡击，
他满腔怒火愤慨不已。
这一次，
他挺着沉重的长矛，
憋足了全身的气力，
又向赛依特刺来。

如果这一击被刺中，
一座山也会倒地。
勇士赛依特，没有胆怯，
眼角里飘过一丝轻蔑。

赛依特今年二十岁，
他参加过多次大战，
这样的阵势他经历过多次。

像鱼在水中游弋，
像兔子一样伶俐。
他骑的这匹骏马，
收紧了两只耳朵，凝神屏气。
就在长矛要触到的一刹那，
他身子一侧躲了过去。

当库特嘎尔巴斯擦身而过时，
他高喊着“玛纳斯”的口号，
转身挥舞长矛，
向库特嘎尔巴斯的臀部刺去。
像大山一样的库特嘎尔巴斯，
重重地从马上跌落在地！

不等勒住骏马，
不等赛依特策马再回身一击，
狡诈的女魔和库木萨尔，
变成两名卫士，
迅速把库特嘎尔巴斯救起。

无数的马在奔跑，
天空中弥漫着一股难闻的雾气。
库特嘎尔巴斯的兵士，
像流沙一样策马逃回原地。
年轻的勇士赛依特，
怎能畏缩退却，
怎能不乘胜追击！
无敌英雄赛依特，
他的英雄事迹被百姓传颂远近皆知。

居仁朵的魔法衬衣，
在他身上穿着；
锋利无比的色尔长矛，
在他手中紧紧握着；
坎库拉骏马的笼头和穗子，

在铁勒库荣马的头上戴着；
能解开魔法的阿勒玛巴什神枪，
在他身上背着；
在勇士赛依特的路上，
没有人可以将他阻挡！

库木萨尔魔法师和狡诈的女魔，
使坏点子想把赛依特拖住，
他们对坐在一起，
念起了恶毒的咒语。

像黑色的旋风，
从头顶刮过，
像豆大的雨点，
击打着大地。
他们不停地念着，
快快地念着，
出声地念着，
召唤来所有的魔鬼和猛兽恶禽，
想把赛依特降住。

正在这时，
库特嘎尔巴斯抬起头。
他醒了过来，
张开了口：
“不要念了，
不要用这个办法了，
这个办法对赛依特等于儿戏！
在战场上，我与赛依特正在交战，
我怎么会在这里？”

库木萨尔魔法师破着嗓子，
噪音像一只山雀似的又高又细：
“你的长矛被赛依特打飞了，
落地的长矛，

把三十六个士卒砸死。

“你转过身看着我们：
‘给我长矛！’
你催得很急，
五十个人把一柄长矛，
好不容易再次送到了你的手里。

“尽管这样，
还是让那个赛依特扫了你勇士的面子。
他闪开了你的长矛，
你被他击中了臀部，
从马上跌落在地。

“赛依特高兴了，
让你流了很多血。
我们鼓足勇气前往相救，
在美女的帮助下，
我们把你救到了这里。

“如果没有我们，
库特嘎尔巴斯，
你会在战场上留下尸体，
赛依特会无情地刺杀你！

“‘不要用这个办法了！’
你死里逃生刚睁开眼睛，
竟然对我们很不满意。
如果再交战的话，
你还有力气吗？
你凭什么会取得胜利？”

经他这么一说，
库特嘎尔巴斯打了一个哈欠后说：
“库木萨尔不能再流血了，

赶快鸣金让士卒们撤离!

“我不小心被他刺中，
今天在大众面前，
我丧失了勇士的面子!
就让臀部的血流着吧，
我哪里还顾得了这些小事?

“让库奈扎带领十个大力士，
再派四十员大将，十万兵士，
每天派一个大力士上场，
跟赛依特连续交战，
让他疲惫不已!
不歼灭赛依特，
我库特嘎尔巴斯怎么能心安！”

听了库特嘎尔巴斯的话，
又受到他的责备。
“不要让士兵白白地死掉，
快叫他们撤离！”
库木萨尔喊叫着，
召来了传令的勇士。

收兵的号令，
在辽阔的战场上响起，
早已厌战的士兵，
闻声快速撤离。
在加西勒杰克这个地方，
傍晚来临寒气袭人流沙游移。

听到收兵的号令，
士兵们都撤了出来，
许多人受伤了，
他们的身上流血不止。
在插着旌旗的地方，

队伍聚集在了那里。

被激怒的库特嘎尔巴斯，
挣扎着鼓励他的士兵：
“大家不要沮丧，
我们会取得最终的胜利！
在赛依特面前，
我要发起攻坚摧毁之战，
让灾难在他头上降临！”

他清点着士兵的人数，
让他们排队列阵，
然后走到队列前头，
又是鼓舞又是叮咛。

十户长们急忙召集手下的士兵，
百户长们连连发号施令：
“快安排好你们的士兵！”
千户长们晃动着手中的长矛，
瞪大双目紧盯着队伍整顿的情形。

招呼大家列队完毕，
清点了队列的士兵，
发生激烈的交战才一天半的时间，
竟然就有一千三百多人丧命。

“如果我们这样被消灭的话，
十多天的时间，
我们会被歼灭殆尽！
库奈扎和十个大力士，
对我的支持至关要紧。

“十万个士兵，四十员大将，
还有五十一个首领，加上我，
有五十二个勇士，

我要重新筹划精心布阵！
赛依特能躲过我们的打击吗？
他岂能在我的长矛下幸存！

“如果我消灭了赛依特，
塔盘汗要娶的美女，
我岂能让他美梦成真！
我要气死塔盘汗，
自己把美女抱回家中！

“我要在赛依特脖子上，
拴上一根绳子，
把绳子的一头攥在我的手中，
像牵猎犬一样牵着他，
去到塔拉斯他的家乡。

“自从有玛纳斯那一代人，
柯尔克孜开始在世上称雄。
他们已经是五代人了，
那些敢于向柯尔克孜挑衅者，
都被柯尔克孜消灭得干干净净。

“今天，
我就要将这个世界颠覆，
让柯尔克孜汗王和他的部众，
都成为我的奴仆。
我要把塔拉斯的灰土洒向天空，
在这个世界留下我的英名。
让柯尔克孜的名字永远消失，
让柯尔克孜在大地上不留踪影！”

以库奈扎为首的一群人，
正在战场苦战，没法撤军回营。
四十员大将，有十个被消灭了，
十个大力士，有七个被消灭了。

在一天的交战中，
已经有十七个勇士丧生。

“库奈扎！”
焦急的库特嘎尔巴斯，
大声呼喊着他的大名。

他像要冲杀过去似的，
气势汹汹地叫着，
叫声在山野间回荡。
他看到面前的塔盘汗，
像公牛一样瞪圆了双目。
他眼睛红红的环视四周，
见不到库奈扎的身影。
像一只兀立的老鹰似的，
库特嘎尔巴斯无奈地站在高坡上。

他再看一看对面，
赛依特的队伍列队整齐，
阔努什拜在他的身旁，
巧依托隆和塔孜哈拉，
也在赛依特的身边挺立。
唯独不见塔帕克，
库奈扎也不知道在哪里。

“这是怎么回事？
库奈扎是否平安无事？
如果库奈扎被塔帕克杀死，
那将是一个很大的损失！”
库特嘎尔巴斯暗自寻思。

战场这一边的赛依特，
也发现塔帕克不知去向，
他急促地开口问道：
“勇士塔帕克在哪里？”

巧依托隆在马上侧过身来，
镇定地回答了他的问题：
“库特嘎尔巴斯从马上跌落下来，
一头扎进沙子里生死不明，
因为你没有下命令，
我们的士兵没有向前冲锋。

“就在那时，
库奈扎偷偷地朝我们冲杀过来。
他的眼睛冒火气势汹汹，
跃动的马蹄把尘土扬向天空。

“看到这些的塔帕克非常气愤：
‘偷偷地跑过来，
趁乱袭击对手，
我没有见过他这样的小人！’
他大喊一声冲杀了过去，
后来就不见了他的踪影。

“我看那边的人群中，
也不见库奈扎的身影。
如果库奈扎战胜了塔帕克，
这个时候了，
他应该在那里现身。”

听了巧依托隆的话，
赛依特策马前行，
登上前面的一座山丘，
寻找塔帕克的身影。

“我要找到库奈扎！”
库特嘎尔巴斯也策马前来把部下找寻，
座下的其其汗苏尔[1]骏马，
汗像水一般浸透了全身。

[1] 其其汗苏尔：意为老鼠皮般的灰色骏马。

赛依特和库特嘎尔巴斯，
互不理睬，
各自寻找着自己的人。
他们用千里眼观看，
在不远的地方，
塔帕克和库奈扎正在交锋。

你看他们，
各自显示着自己不凡的本领。
他们胯下的骏马，
像黄羊一样跳跃奔腾。
他们都使出浑身的力气，
激烈地拼杀都想将对手战胜。

库特嘎尔巴斯眼见库奈扎气力不足，
他扬鞭催马向前疾行。
年轻的勇士赛依特，
看到库特嘎尔巴斯奔向那里，
他不会站在一边无动于衷。
紧随在库特嘎尔巴斯的身后，
他的战马疾驰如风。

“你是库特嘎尔巴斯，
我是赛依特，
作为领军的首领，
对交战中的勇士，
你是想把他们分开，
让他们暂停交锋，
还是另有所图，
想暗中对塔帕克下手。
你以为勇士塔帕克，
他无依无靠只是孤身一人？

“如果你想把他们分开，
我无话可说，

我会默认和赞同。
如果你想对塔帕克下手，
你的得力助手库奈扎，
他宝贵的性命将不会幸存！”

赛依特的话，
库特嘎尔巴斯没有放在心上。
他挺起锐利的长矛，
朝着塔帕克狠狠刺去，
毫不留情。

赛依特见状举起战刀，
迅疾扫开了库特嘎尔巴斯的长矛，
然后翻手砍向库奈扎的脖颈。
库奈扎无声地落下马来，
顿时没了性命。
骑着其其汗苏尔马的库特嘎尔巴斯，
见状慌忙逃回自己的阵营。

勇士塔帕克高兴地跑了过来，
身上左右两片衣襟在风中摆动：
“英雄汗王赛依特啊，
你出手如闪电一般地利索，
你在紧要关口救了我的性命！”
雄狮赛依特从容地对塔帕克说：
“撤，塔帕克勇士！
骑上你的骏马，
我们得胜回营！”

库特嘎尔巴斯回到了自己的阵营，
失去了库奈扎的性命，
失去了高贵的荣誉，
他咆哮着不停地来回走动。
他嘴里喷着火，
怒火烧红了一双眼睛。

幸存的三十员大将，
幸存的七个大力士，
狡诈的女魔也在其中。
他们一个个脸色阴沉，
忘不了的那个赛依特，
让他们感到世界很小难以容身。
他们见到库特嘎尔巴斯的怒容，
大家脸色煞白不敢出声。

“自从被称作库特嘎尔巴斯以来，
我还没经历过这样的交战，
也从未遭受过这样的欺辱和难堪！
以库奈扎为首的几个大力士，
十几员大将就这样一命归天。
在嗜血者赛依特这里，
没想到我们会败得如此之惨！

“我们要想各种办法，
把赛依特的攻击阻拦。
魔法师库木萨尔和这位美女，
两位大臣和塔盘汗，
你们要分头行动起来，
快快地照我的吩咐去办！

“我先上战场，
与赛依特周旋。
两位大臣和塔盘汗，
你们让士兵紧跟在后面，
几十员大将聚集在一起，
牢牢守卫住加西勒杰克家园。

“在赛依特还没到加西勒杰克之前，
七位大力士要预先守在每个路口。
对这个自鸣得意的柯尔克孜小子，

你们要布置好陷阱，
引诱他钻进来将他歼灭。

“库木萨尔和美女，
你们要把各自拿手的魔法施展，
将赛依特与他的士兵分开，
把他们的阵营截成几段。

“对付勇士塔帕克和巧依托隆，
还有阔努什拜和塔孜哈拉，
你们要略施小计，
把他们引向战场的另一边。
你们要把他们捆起来，
让他们无法动弹。

“如果我没有刺中赛依特，
我会引诱他把我追赶。
我会把赛依特，
诱入七个大力士预设的伏击圈。
我会悄悄地在一旁观察，
当他的马疲劳不堪时，
我就一跃而上把他活捉。
我要报仇，
对这小子不能手软！

“如果到了很晚的时候，
还没有我的消息，
还没有见到我凯旋。
对我们的俘虏，
你们不要碰任何人，
不要轻易地将他们的性命了断！
今天，大家都去休息吧，
蓄足精神准备好明天的交战！”

让库特嘎尔巴斯准备去吧，

我们再看看赛依特这边，
他有什么样的筹划打算。

巧依托隆和塔孜哈拉，
还有阔努什拜和其他士兵，
大家都等待着赛依特和塔帕克归来，
每个人心里都十分焦急。
当英雄赛依特和塔帕克归来时，
他们三个人赶忙迎了过去，
与归来的英雄紧紧拥抱在一起。

他们开怀地笑着，
高声叫着，
忧愁消失了，
他们无比欣喜。
他们原先牵挂着塔帕克，
现在见到了自己的同伴，
大家宽心了，
放下了心事。
勇士们高兴地互相追逐着，
像一群无拘无束的骆驼在嬉戏。

塔帕克向同伴讲述着，
库奈扎被歼灭的前前后后，
语气里掩不住自豪的神气：
“看都顾不上看一眼就逃走了，
这个库特嘎尔巴斯真没有一点儿意思！”

这些天来，
勇士们参加战斗实在不易，
他们舒服地洗了个澡，
却没有放松对敌人的警惕。

英雄赛依特这时说道：
“他不是一般的对手，

千万不可小看，
这个库特嘎尔巴斯，
他可不是轻易能搬掉的大山。

“他两次被刺翻，
但仍然锐气不减。
这个时候他一定在加紧准备，
他不把死亡放在心间。

“明天在这里，
子弹会像雨点一样射向面前，
没有火焰的炭火，
会铺天盖地燃烧在我们身边。

“巨人居仁朵的衣衫，
我给阔努什拜，
穿戴在身，装备齐全。
你们见证一下它的好处，
它的确神奇无比，
能挡住飞来的枪弹和燃烧的火焰！”

众勇士问道：
“我们没有亲身体验，
怎么知道它的神奇？”

英雄赛依特继续说：
“如果雨点般的子弹飞来，
如果火红的炭火席卷而来，
你们把魔法衬衣挥动三次，
密集的子弹就无法将你们击中，
遍地的炭火无法将你们伤害。

“如果有暴雨倾盆，
如果有狂风袭击，
如果有大雾漫天，

如果看不见太阳，
天地一片漆黑。
你们不要慌张也不要着急，
更不要害怕心惊胆战。

“只要高喊着‘玛纳斯’的口号，
挥动这神奇的衣衫，
任何人施展的魔法，
都无法靠近你们的身边。
如果他们派大象上阵，
你们就用阿勒玛巴什神枪射击！

“勇士塔帕克，
你很英勇，
巧依托隆和塔孜哈拉，
你们也要有天下无敌的气势。
请大家敞开心扉，
还有什么话要说？”

聪明的塔孜哈拉，
心智高深，口齿伶俐，
他不放过任何说话的机会，
这时候这样表达自己的心意：
“你让我们怎么行动，
我们就怎么行动。
是你把我们从死亡中营救出来，
我们怎么能不服从你神圣的命令？

“阿勒玛巴什神枪和神奇衣衫，
还是你留下，
你比我们更加需要。

“我估计明天早晨日出以前，
库特嘎尔巴斯将大喊大叫着上阵。
他不把我们放在眼里，

指名道姓一定要和你交锋。

“库特嘎尔巴斯战不过你时，
他会狼狈地逃遁。
他的十个大力士，
三个白白地送掉了性命。
他会在七个路口设置障碍，
阻止我们前行。

“从节迪盖尔逃出的那个女魔，
会施展魔法挡住我们。
库木萨尔也会施展魔法，
阻挡你奋勇前进。
他将施展的法术，
前所未见，闻所未闻。
祖先留下的神枪你一定要带上，
它对你非常有用。

“七个地方设置障碍，
七个地方会出现敌人。
去往加西勒杰克，
快的话需要两个月，
慢的话需要五个月的时间。
逃跑的库特嘎尔巴斯会在途中歇息，
如果继续追击，
我们要格外注意节省体力。

“在加西勒杰克地方，
有六种肤色的百姓。
当库特嘎尔巴斯失去势力时，
加西勒杰克的百姓会分成两派，
多数百姓会投靠我们。

“我没有见过，
只是听说过，

在加西勒杰克的黄沙坡头，
在两地交接处，
长着一棵芦苇，
那是魔法师库木萨尔的命根。
如果除掉这棵芦苇，
会流很多血，
那就要了魔法师的命。

“没有追到库木萨尔，
在没有消灭他之前，
库木萨尔是不会放弃他的魔法，
他会继续与我们较劲。

“如果库木萨尔被消灭，
库特嘎尔巴斯会回过头，
在狡诈的女魔那儿寻求支持。

“当他的末日来临，
他会无法忍受，
他会大发雷霆。
他会抛弃塔盘汗，
把他送入失望之中。
‘我要娶美丽的姑娘，
我要尽情享用！’

“狡诈的女魔不会让他得逞，
她如果和男人结缘在一起，
就没有办法施展魔力，
她的魔法就会失灵。
库特嘎尔巴斯不会把狡诈的姑娘，
抓起来交给我们。

“库奈扎被消灭了，
库木萨尔魔法师如果再被消灭，
他的大力士和魔法师都被消灭了。

他的身旁如果没有了得力的助手，
他便失去了抵抗的能力。

“就是到了山穷水尽的时候，
他也不会向你求情，
这就是他顽强的个性。
气愤的他，
会以他的方式，
结束自己的生命。”

赛依特再战库特嘎尔巴斯

塔孜哈拉刚刚说罢，
突然听到一阵号角的响声。
从库特嘎尔巴斯阵营那边，
鼓角声此起彼伏。

所有的人都在移动，
所有的生灵都在移动。
天空中一阵寒风掠过，
芦苇的尖头发出瑟瑟的响声。
所有的鸟都在啼鸣，
这个世界怎么了？
变得如此令人惊恐。

库特嘎尔巴斯的部队，
浩浩荡荡，威风凛凛。
骑马的骑马，
步行的步行，
像潮水一般向战场涌动。

英雄赛依特这边的队伍，
由巧依托隆下达了命令。
所有的士兵都拿起武器，
排列成整齐的队形。

从这边，到那边，
大地上密密麻麻，
布满了手持武器的士兵。
对于那里的百姓来说，
像是世界末日就要来临。

对于英雄赛依特来说，
这点事儿算得了什么？
他已经久经沙场能沉着应对。

大力士们扬起尘土出场了，
让观战士兵瞠目结舌瞪大了眼睛。

库特嘎尔巴斯又出场了，
他头戴钢盔，手持利刃。
他下巴没有了胡子，
铁青的脸颊布满阴云。
他骑着其其汗苏尔马格外威猛，
飞马驰过大地扬起一阵灰尘。

“嗜血的柯尔克孜，你出来！”
他叫着赛依特的名字，
气势汹汹。

他黄色的皮肤，蓝色的眼睛，
眼珠不停地转动。
像头爱撞人的牛似的瞪着眼睛，
不可一世的气势分外骇人。
就像黄昏时疲惫的铁匠，
铁青的脸色显得格外阴森。

他满腹愤慨，
吹胡子瞪眼睛，
看上去像吃人魔王似的令人心惊。
他气愤地说着，
声音战抖有点吐字不清。

“你是赛依特，
我是库特嘎尔巴斯，
在同年出生的英雄中间，
没有人的力气能与我相比！

如果我不如你的话，
我会自己去死！

“你不敢面对我，
不敢朝这边移动。
你心虚了吗？
你自不量力，
还充什么英雄！

“想娶不愿嫁给你的姑娘，
你有什么本事！
你是自寻末路，
谁让你来到这里？

“我要拼尽全力与你交战，
直到我剩下最后一口气！
我要与你交战，
像毒蛇一样咬死你！

“即便你是勇士，
也撑不过一天时间，
也许不到半天时间，
你的双脚和双手，
就会被牢牢地捆在一起！

“我要让你光着脚、光着头，
我用鞭子驱赶着你，
朝着塔拉斯的方向！
我要挖掉你一只眼睛，
再割掉你的一只耳朵，
我要让你的部族，
都看到你被俘获的狼狈样子！

“以凯耐尼木为首的一群人，
我要把他们和你一起杀掉！

“在东方和西方，
你们杀死了多少英雄和勇士。
我要把他们的后代都召来，
让他们向你们讨还血债，
报仇雪耻。

“六十个部落的阿拉什人，
还有供给你们粮食的浩罕人，
对于敢与你们结盟的人，
我要把他们统统杀死！”

库特嘎尔巴斯咆哮着，
喋喋不休地叫嚷着分外激动。
塔孜哈拉和巧依托隆，
心里暗自嘀咕，心潮翻滚：
“不知道结果怎么样，
不知又会发生怎样的事情？”
他们有点提心吊胆，
对后面的事儿暗暗担心。

这只野兽的威慑，
令大地震动。
惊天动地的战鼓，
一阵紧似一阵搅动着人心！

天亮了，
云朵飘移。
太阳出来了，
太阳的光芒照耀着大地。
蓝天白云下，
英雄赛依特在马上巍然而立。

天性勇敢的赛依特，
只有二十岁的年纪。

他是凯耐尼木的儿子，
他是柯尔克孜的勇士！
他骑着铁勒库荣骏马，英姿飒爽，
冷眼注视着骄横的库特嘎尔巴斯。

他紧紧勒住缰绳，
胯下的骏马，
一刻也没有安宁。
它像雄鹿一般矫健，
它像黄羊一样敏捷。
遇到沟壑就一跃而过，
犹如汹涌的山洪。

英雄赛依特，
有虎的勇敢，
有龙的气势，
有狮子的威严！
那时的赛依特，
你可知他是何等的威武。
他出征时，
有老虎在前面开路，
有雄鹿在左右相伴相依。

在他的后面，
有天使、圣人紧跟，
如同坚强的高山。
神奇的阿勒普神鸟，
率领着众鸟在他头顶飞翔盘旋。
扇动着银色的双翅，
金雕目光炯炯如同两道闪电。

苍鹰伸展着翅膀飞来，
鹞鹰鸣叫着划过蓝天，
游隼急速地扇动双翅。
它们的翅膀格外有力，

呼啸着飞来气势不凡，
百鸟都在为赛依特发威助战。

他的左面是红色的大象，
右面是一匹红灰色的神骏奔驰，
它就是色尔哈克的铁勒克孜勒骏马，
祖先派来与铁勒库荣为伴。

那飞来的银色神鹰，
就是英雄加勒格再克的银翅猎隼；
那高声鸣叫的游隼，
就是汗王赛麦台依的白鹰隼显形；
那呼啸而来的猎隼，
是圣人阔绍依心爱的猎隼。
当年在远征的路上，
在阔克阔勒湖边的宿营地，
阔绍依老人让它猎获野鸭，
消遣解闷十分开心。

那盘旋飞来的苍鹰，
巨人托什吐克生前格外倾心。
那划过天空的鹞鹰，
并不是普通的生灵。
布哈拉的铁米尔汗，
为了辟邪驱灾，
让它守护在公主卡妮凯的门庭。

看似红色的大象，
那其实是玛纳斯珍爱的黑骆驼显形。
玛纳斯忠实的猎犬库玛依克，
跑在前面充当开路先锋。

他们都是赛依特的保护神，
在战场上护佑着柯尔克孜英雄。

看到赛依特那凛然的气势，
库特嘎尔巴斯惊呆了。
他不知该说什么，
呆呆地瞪着两只眼睛。
他浑身顿时失去了力气，
手和脚突然变得软弱无力，
心脏也剧烈地跳动。

“库木萨尔魔法师和美女，
快来帮助我吧，
给我力量！”
他向两边不停地张望，
下意识狠狠咬着下嘴唇。
他的脸色变得苍白，
失去了颜色，
像患了伤寒似的，
双眼迷迷蒙蒙惊慌失措。

库木萨尔和女魔，
加快速度把咒语念个不停，
在赛依特身边出现的这一切，
都实实在在映在他们的眼中。

无论他们怎么样施展魔法，
对赛依特都毫无作用。
天上的神仙，
祖先的英魂，
还有活跃在地面的精灵，
他们都前前后后护卫在赛依特的身边。
就像鸟飞在空中不留脚印，
就像大风刮过不留踪迹。
女魔施魔法想将他们驱散，
分明是白费精神。

赛依特的曾祖母，

仙女阿依曲莱克，
听到子孙们的召唤，
也来到了曾孙子的身边。

她有无穷无尽的变幻，
超凡的本领令世人赞叹，
她可以变成金鱼在水中遨游，
她能够变成白纱飘拂在蓝天。

她还可以变成天鹅，
在蓝天白云中蹁跹飞翔；
她可幻化成一股清风，
在天地穿行世人却难以看见。
今天助威的这些生灵，
是她亲自邀请来到赛依特的身边。

她维护着自己的尊严，
对赛麦台依忠贞不渝，
生死相从。
今天显身的这些生灵，
是她召唤到此地集中！

当她落入敌人手中的时候，
施法让妖女作了替身，
戏弄恶棍克亚孜，
将赛依铁克保护在腹中。
她让儿子长大成人，
让人们领略了伟大的母爱。

她不让托托茹马给克亚孜报信，
夺取了克亚孜罪恶的性命。

她医治好了古里巧绕的创伤，
这是阿勒曼别特的后代，
父子二人同为柯尔克孜的擎天柱，

深受柯尔克孜人民的爱戴和尊敬。

对无数个善良的求助者，
她总是想尽办法给予帮助一片赤诚。
她的心地善良品行端正，
永远留存在柯尔克孜百姓的心中。

她的品质和才能，
一直被人们传颂，
直到海枯石烂，
直到世界末日。

草谢了还会长出新芽，
海枯了江河还会流入。
世界不会走到尽头，
百姓们永远不会消失。

阿依曲莱克不会离世，
阿依曲莱克永远活着，
柯尔克孜对此深信不疑。

与阿依曲莱克相比，
女魔和库木萨尔算得了什么？！
阿依曲莱克馥郁的气息，
会使所有的魔法失灵。
女魔和库木萨尔的那点伎俩，
只能是小儿玩耍的把戏。

还有卡妮凯太祖母，
人们称她为柯尔克孜母亲的典范。
她不仅养育了雄狮的独苗赛麦台依，
还抚育了阿勒曼别特和楚瓦克的后代。

她含辛茹苦出生入死，
辅佐了玛纳斯家族的四代汗王。

她善良、仁慈、贤惠、能干，
她宽阔的胸怀像大地母亲一样。

柯尔克孜人心目中，
不仅希望这两位伟大的女性，
尊敬的母亲和嫂嫂，
还有圣人巴卡依和阔绍依，
汗王赛麦台依和勇士古里巧绕，
永远长留在人间。

百姓喜爱的英雄不会死，
即使他们离去了，
他们的精神和箴言永远流传人间。

库特嘎尔巴斯面对强大的敌手，
不得不鼓足勇气。
交战中已有两次失败，
依然坚持与对手交战，
真是自不量力！

他重新聚集力气，
挥舞着长矛猛刺。
这个高大的巨人，
矛枪没有刺向赛依特，
而是刺向眼前一座高大的山石。
山石经不住他的打击，
碎成粉末四处飞扬。

这个不可一世的库特嘎尔巴斯，
他是在敲山震虎，
卖弄气力，
更是在硬着头皮给自己壮胆。
他向赛依特显示自己的力量，
让年轻的赛依特胆怯认输。

英雄猛虎赛依特，
对库特嘎尔巴斯的拙劣表演，
感到幼稚和可笑，
投去了鄙夷轻蔑的目光。

他没有胆怯，
没有躲避。
在十四岁的那一年，
在广阔的凯尔克提原野，
他毫无畏惧地与巨人喀拉朵交战。
他把对手击碎成了粉末，
不要说肉，
连骨头也找不着！

玛纳斯的后代，
年轻的雄狮，
他的英雄事迹被百姓传颂。
虽然没有人将它写在纸上，
仍口口相传流传至今。
玛纳斯后裔的英勇传奇故事，
用什么语言也难以形容！

能够扳动山的库特嘎尔巴斯，
毫不犹豫地握着长矛，
转身向赛依特攻击。

库特嘎尔巴斯刺过来的长矛，
发出呼呼的响声。
那长矛放射着火焰般的光芒，
显示出震撼人心的威力，
看上去非常神奇。

库特嘎尔巴斯，
像条毒蛇似的，
有种要征服一切的气势。

他胯下的其其汗苏尔骏马，
奔跑时如寒风掠过，
风驰电掣。
它背上的库特嘎尔巴斯，
眼睛里火花四射。

他已经跑到跟前了，
长矛眼看就要刺到赛依特的身上。
巧依托隆和塔孜哈拉，
还有与他们在一起的阔努什拜，
无不神情紧张，心在哭泣：
“赛依特会怎么样，
他是否能躲开这致命的一击？”

英雄赛依特是勇猛的雄狮，
他的胆略非常人可比，
他连眼睛都没眨一下。
面对猛刺而来的长矛，
猛地抓住长矛的尖头握在手里。
他在心中默默地祈祷着：
“英明的先祖玛纳斯，
请你的灵魂保佑我！”

他的骏马踉踉跄跄，
倾斜了一会儿身子才站稳。
众多的士兵，
没见过这样的场景。
库特嘎尔巴斯的兵马，
顿时变得鸦雀无声。

长矛的把柄在库特嘎尔巴斯手里，
长矛的尖头在赛依特手里，
你争我夺了很长时间，
啊，仁慈的天神，
是谁给了他们这样的力气！

两位大力士脚蹬着马镫，
像在马上角力一样互不相让。
赛依特往前一伸又往回一拉，
差一点把长矛夺回自己手里。

顽固的库特嘎尔巴斯，
这时想起来了，
他以前自命不凡的霸气。

他咬紧了下唇，
憋足了气力，
“我要把长矛抽回来！”
他使出了全身的力气，
企图达到自己的目的。
他的眼睛瞪得很大，
眼珠好像要蹦出眼眶似的。

力大无穷的两位勇士，
你夺我抢地持续了很长时间，
都想把长矛夺到自己手里。

结实的长矛，
经不住他们的拉扯，
它像线一样被拉长，
又发出“吱吱”的响声。
那长矛从中间被折成了两截，
各握半截在两人的手中。

当长矛失去时，
库特嘎尔巴斯迅速将巨斧抓在了手里。
像门板一样宽的巨斧，
高山也会被砍翻。
它砍杀过多少勇士！
它的斧刃大概有半庹长，

它的斧背像一面峭壁！
在这把斧头面前，
没有人能捡条性命死里逃生！

赛依特看到这些，
毫不畏惧，
神态自若。
库特嘎尔巴斯喊叫着，
绕战场转了三圈。
库特嘎尔巴斯怒容满面，
鼓足勇气决一死战。
库特嘎尔巴斯表情变化多端，
显露出嚣张的气焰。

不要说是赛依特，
就是一座山，
也经受不住他巨斧的砍击。
在竖耳飞奔的其其汗苏尔马背，
库特嘎尔巴斯高喊着自己的名字，
举起斧头挥舞着，
向赛依特发出致命的一击。

凯耐尼木之子，
柯尔克孜勇士，
不会容忍这样欺人的举动。
雄狮赛依特也举起锋利的战斧，
对准了对手握着巨斧的手臂。

当对手手肘抬起时，
赛依特猛地一击，
库特嘎尔巴斯手肘的四十根筋条，
被生生地砍断了。
库特嘎尔巴斯的巨斧，
一下子跌落在地。

这个不要命的库特嘎尔巴斯，
他的勇猛真是世间无敌。
长矛被折断了，
斧头被打掉了，
他心里的火焰燃得更旺更急。
他的喊声更大了，
他的火气更足了。
他的右手被砍断了，
他又伸出左手，
把利剑从剑鞘中拔出。

人世间没见过这样的交战，
勇士赛依特此时也没有等着，
他手握色尔长矛，
斗志昂扬骑着马在奔跑，
矫健挺拔的身姿十分显眼。
“他的形象非同一般！”
看到此景的人无不发出由衷的赞叹。

库特嘎尔巴斯策马扑来，
手里握着锐利的武器。
当他的利剑刚刚刺出时，
赛依特的利矛对准了他，
不偏不斜正好刺中了他的左臂。

像牛犊的腿一般粗的肌肉，
被长矛刺穿。
库特嘎尔巴斯手中的利剑，
又“哐当”一声跌落在地面。

右手肘被战斧击中，
左手臂被矛尖刺中，
像牛犊大小的肌肉下垂。
他心惊肉跳，
惊慌地瞪圆眼。

双手都受了重伤，
无法再握武器，
战斗再没法进行。

他想调转其其汗苏尔骏马，
转身向后面逃离。
他想和库木萨尔与女魔，
再一次商量应对的妙计。

年轻的勇士赛依特，
就像是上天派来的天使：
“你想出所有的办法，
不服气的话，
请你策马过来，
咱们再重新交战。

“我有长辈灵魂的护佑，
我有先辈精神的支持
我会利索地战胜你！”
他无畏无惧，
把库特嘎尔巴斯，
根本没有放在眼里。

“你失去了勇士的名气，
你失败了，库特嘎尔巴斯！
你毫不手软地舞动长矛，
你毫不留情地举起板斧。

“在战斗没有发起之前，
你口吐狂言，
那样狂妄得不可一世！
‘我要去你的部落塔拉斯，
我要把白毡帽的柯尔克孜，
一个不留地统统消灭！’

你要把我这样那样，
这一切只留下可耻的笑柄，
这又一次证明了你的轻狂和无知。

“现在你败了，
你已经没有了战斗的能力，
你该想一想自己的后事！

“让我替你说吧，
库特嘎尔巴斯，
你还算明智。
你没有去过塔拉斯，
你没有侵略过那里的百姓，
那里没有留下你罪恶的足迹。

“塔盘汗带着一个妖女，
来到你这里，
被一个女魔所骗不能自已。
这样的事也不算稀奇，
你这样做，
我不会计较的。

“你可以继续做你的汗王，
留在自己的部落里。
塔盘汗也可以留在自己的部落里，
守护着自己的百姓，
过自己的安稳日子。

“你有一个罪过，
那不是人干的事情！
对那些无辜的百姓，
你不断地骚扰抢劫，
让百姓不得安宁。

“把别人的妻女抢过来，

你霸占为妻。
给别人造成伤害，
让他们伤心哭泣。
这只能引起百姓的愤怒，
众多的百姓必然与你为敌！

“如果照此下去，
在任何地方你都找不到朋友，
只能孤独地死去！

“你不要心存遗憾，
你不要像怀揣一个宝贝似的舍不得，
把那个狡诈的女魔交出来，
你仍然留在自己的部落里。

“她没有从别的地方来，
她来自节迪盖尔部落，
她不是一个善良的女人。
在节迪盖尔部落里，
很多无辜的亲戚，
还有部落里的许多百姓，
都被她吃进了肚子里。
甚至连生育她的妈妈，
养育她的爸爸，
都被她吃掉了。
她是一个女魔，
不是一般的魔法师。

“如果与男人亲近，
她的妖术就会失灵。
她在你面前装腔作势，
到头来，她不会嫁给你！
你和塔盘汗都不要有任何幻想，
她也不会嫁给任何人，
她只想以人为食。

“不要再被她欺骗，
你听我的！
你留在自己的部落里，
安心过自己的日子。
如果你不听我的劝，
如果你的头脑还如此昏昧，
你绝不会有好下场。
我可以明确告诉你，
你侵犯过很多人，
你如果还不思悔改，
你如果一意孤行死硬到底，
我就要为善良的人们报仇雪恨，
你只有死路一条！

“库特嘎尔巴斯，
你快告诉我，
你到底选择哪一条路？
如果你还想与部下商量，
我允许你回到自己的部落，
等你们商量好了再来会我。

“如果你不听规劝，
如果你还想继续交战到底，
你的长矛已经折断，
你的战刀已经不在，
你的斧头已经掉落在地，
你已两手空空没有了武器。
即使你的大锤还绑在腿上，
你受伤的双手也没法举起。

“不要说那些没用的，
你说自己是一位勇士，
那就实在点吧，
想想一些有用的！

“你可知道哈勒别克的儿子卡勒恰汗，
无论你怎么努力，
你都没法和他相比。
你本来力气和本领有限，
却口吐狂言胡言乱语，
以愚蠢的狂言给自己打气。

“玛纳斯的灵魂支持我，
我不会太在意你！
我现在就站在这里一动不动，
看一看你还能对我如何攻击？！”

说到这儿，
赛依特停住了数落，
他静静地望着狼狈的库特嘎尔巴斯。

绝望的库特嘎尔巴斯听到这里，
求生的愿望突然在心里升起。
他的双臂吊着，
鲜血汩汩流淌不止，
四十根筋被打断了，
钻心的疼痛直窜心底。

“到部落里去商量，
商量好了再来这里！

“他不会不承认吧？
这是他亲口说的。

“给我十五天的时间吧，
十五天后我再来较量！”
库特嘎尔巴斯思量着，
盘算着自己的主意。

“我与他说定期限，
拖延一些日子，
我要重整旗鼓，
与他再进行一场恶战！

“到期限的那一天，
休整好了我再来这里，
我要好好教训他，
叫他知道我的厉害！
今天听了他的一番话，
小小年纪竟然如此数落我，
我哪能服气？

“把美女交给他？
不能这么便宜。
与其这样，
我还不如拼杀到底！”

想到这里，
库特嘎尔巴斯开口回答，
依然不肯放下他勇士的面子：
“赛依特，作为勇士，
你说过的话要算数！
请给我十五天的时间，
我回去商议商议。
因为不小心，
我的胳膊受伤了。
无论塔盘汗怎么想，
我绝不会把美女抓来，
轻易地交给你！

“从你的话里我能听出来，
美女因为瞧不上你，
她把你抛弃了，
她来到了加西勒杰克我的领地。

你的心里放不下她，
你把仇恨深深地记在心里。

“如果我被消灭了，
在加西勒杰克地方，
还有像我一样的很多大力士。
来到加西勒杰克，
你难以活着回去。

“你炫耀地说了很多话，
你好像在说，
你是天下独一无二的大力士！
你说我的勇猛不如卡勒恰，
‘你没有他那样勇猛。’
你为什么这么看不起我？

“如果你不提卡勒恰的名字，
我还不会如此生气。
把我与卡勒恰放在一起相比，
如此降低我的身份，
卡勒恰他算什么东西！

“十五天的期限到了，
我会再次考验自己。
我要挑选精良的武器，
我要与你再次交锋！
如果你不生气的话，
到了那一天，
赛依特，我也不会对你留情，
我会证明自己是一位真正的勇士！”

库特嘎尔巴斯说完后，
迅速地撤离了战场。
他心中明白，
此时赛依特如向他下手，

他的双手已拿不起兵器，
他只有死路一条，束手待毙。

像牛犊腿一般粗的胳膊肌肉，
无力地吊着，
在臂膀上晃荡。
他骑着马渐渐远去了，
勇士们的欢呼声在山谷震荡。

我们把这些暂且放下，
看一看库特嘎尔巴斯慌忙逃走后，
会有什么样的下场。

库特嘎尔巴斯

战败逃跑

库特嘎尔巴斯逃回加西勒杰克

库特嘎尔巴斯一路奔逃，
摔倒了再爬起来，
急匆匆地往前赶路，
终于逃回了自己的部落，

库特嘎尔巴斯胳膊被打折了，
那块开花的肌肉向下垂着，
像是驮在马背上的羊皮袋子。
到达部落时，
他怀抱着疼痛难忍的手臂。

他用舌头舔着嘴唇，
瞪着两只发红的眼睛。
因为气愤，
他的脸显得更黑。
在铠甲的外层，
鲜血把他的全身染红了。

骑在马背上的士兵，
簇拥着他向前行进。
黑、红、蓝肤色的人，
正在你推我搡向前，
队伍混乱不堪你挤我拥，
大队人马像是在逃命。

巧依托隆和塔孜哈拉，
从远处看到这个情景，
感到十分开心。
黄、青、白皮肤的人四处张望着，

“他会生气的，
怎么办？”
心里暗暗为逃跑的人马担心。

塔盘汗回避了这样的情景，
他偏过头去故意默不作声。
正在这时，
有一位勇士，
守在库特嘎尔巴斯要经过的路口，
直直站在那里一动不动。

他心里在想什么？
他嘴里在嘀咕什么？
他害怕的内心谁也说不清。
他的胡子竖了起来，
衣襟衣袖在风中微微抖动。

他给大汗行了礼，
然后跪在一旁不敢吭声。
他矮墩墩地像个野蘑菇，
看起来是个老实人。

“如果我不问你们，
你们不许说话！”
库特嘎尔巴斯可汗，
以前曾下达过这样的命令。
“如果违背我的命令，
休怪我不讲情面，
休怪我翻脸无情！”

勇士因为害怕不敢讲话，
匍匐在地上久久不敢吭声。
库木萨尔魔法师这时对汗王开了口：
“这位勇士来了很久了，
他要向你禀报实情，

等待你下达新的命令。
你有什么吩咐就说吧，
我们好快一点赶路前行。”

听了魔法师的话，
库特嘎尔巴斯睁开眼环顾四周，
舔了舔下唇。
像病人喝了一口水似的，
他的伤口十分疼痛，
浑身没有气力。
他的眼睛模糊有点看不清楚，
说话艰难语气沉重：
“你起来开口说话吧，
包提凯英雄！”

这位叫包提凯的将领，
站起身来这样说道：
“你受伤的消息，
很快传到了后方，
你明明活着回来了，
这使有的人感到失望。

“听到你受伤的消息，
你的士兵分成了两派一片混乱，
黄、青、白肤色的人留下来了，
黑、红、蓝肤色的人不听劝告逃向了远方。
十个大力士三个已经死去了，
有四个大力士混在逃散的队伍里，
他们头也不回地跟着走了，
一个个急急忙忙，慌慌张张。

“一共走了三个部落的人，
那些逃走的士卒像洪水一样。
为了这件事，
库特嘎尔巴斯汗王，

我前来禀报，
等候你的主张。”

听了包提凯的这番话，
“队伍分裂”“各奔前程”，
这样的消息库特嘎尔巴斯岂能忍受！
他气愤地阴沉着脸，
鞭策着其其汗苏尔马向前追去，
好像忘记了被打折了胳膊的事情。

库特嘎尔巴斯追上前去，
出现在逃跑的士卒面前，
挡住了他们的去路：
“我会杀了你们的，
赶快跟我回去，
赶快给我往回走！”

他的鼻子里的毛挂满了泥块，
一对眼窝里堆满了尘土。
正在逃跑的士卒们望着他，
不由自主地停住了脚步。

“带头的那个人，
你过来，
我是库特嘎尔巴斯，
我还活着！
为什么要逃跑？
你给我说说！”

逃跑的大概有十三万人，
当看到以为已死去的库特嘎尔巴斯出现，
听到库特嘎尔巴斯的声音，
他们担忧了，
都低下头不敢吭声。

有一个叫塔尔塔克的人，
他是一个有名的大力士，
他说话向来直言不讳：
“我们的首领库特嘎尔巴斯，
我们对你有点儿不满，
这是真的！

“我们骑上战马，
月复一月，
年复一年，
已经过去了多少日子，
我们始终忠诚不渝地跟随着你。

“你亲自出征，
与柯尔克孜的赛依特交锋。
你从来不给我们吭一声：
‘有谁愿意与我一起去？’
这样的话你从来就未说过。

“你是勇士，
我们也是勇士，
你不把我们当作勇士，
也不说好话把我们鼓励。
在这激烈交战的时候，
你不把我们放在眼里，
难道我们就没有一点儿作用。

“还有一件大事，
我们必须要向你说清，
请你在心里仔细权衡。
凡事不要只想着美好的一面，
往往有祸事相伴相生。
在这个看似美好的世界里，
还有邪恶的一面隐藏在其中。

“当你亲自冲上战场，
与对手刀枪相见，
杀得难解难分的时分，
那个诡计多端的女魔，
却躲在后面挑拨离间煽风点火。
让士兵互相争斗流了很多血，
让很多勇士丢掉了性命。

“听说她的父亲是个巨人，
听说她的母亲是个普通人，
她的父母都成了她的美餐。
她是一个吃人的妖精！
这个女魔行动怪异，
我们听说了关于她的许多怪异的事情。

“要我说真话，
她不会嫁给你！
如果你不相信，
我们的汗王库特嘎尔巴斯，
你就对她说：
‘今晚我们成亲。’
你试一试，
和她睡在一个被子里。

“她会让你失去功能，
让你有口难言没有话说，
干瞪着眼睛直到天明。
‘她为什么至今没有嫁人？’
你去问一问塔盘汗，
就明白了其中的内情。

“两天前你交代的任务，
我们心中有数已经完成。
我们故意装作逃跑分离，
让女魔的面目露出原形。

我想找机会把这些话告诉你，
请你体察我们的良苦用心。
如果你不肯原谅我们的行为，
我们静候你的处置，
没有半点怨恨。”

听了塔尔塔克的忠告，
库特嘎尔巴斯沉默许久不再吭声。
“我们一起都回去吧！”
他策动战马，
奔向自己的大营。
那些黑、红、蓝肤色的士兵，
都跟在他的身后，
各自返回了营地，
队伍暂时恢复了平静。

女魔戏弄库特嘎尔巴斯

库特嘎尔巴斯赶回来了，
他命令兵马休息十五天。
他气急败坏地走进自己的帐篷，
唉声叹气，辗转难安。
他叫来美女和塔盘汗，
瞪大眼睛将他们扫视一遍。

“我总以为我是天下最厉害的英雄，
没有人能比得了我的本领。
塔盘汗到这儿来，
我曾经把他看轻。
如今看起来，
我还不如塔盘汗，
我的处境更糟糕，
我的结局更狼狈，
我还不如一个我看不起的人！

“你装作受了欺负，
把自己说成天仙美女。
你把赛依特带到这里，
给我这方水土带来了灾难！

“你到底是谁？
你的家乡在哪里？
今天，你要告诉我实情！

“女人挑选好男人才嫁，
男人要娶自己赞赏的美人。
你为何从有名的赛依特那儿逃跑到这里？

今天，你要说出实情！

“赛依特是个了不起的男人，
你为什么不爱他而另投他人？
你总爱挂着笑容，
说话温柔含情；
你常常挑起眉毛，
眉飞色舞地调情。
你走路也不老实，
你爱在人前把腰弯成三道弯弯，
突出臀部卖弄风情。

“‘是塔盘汗派我来的！’
‘赛依特让我不得安宁。’
你抱怨着、诉说着，
一心想博得我的同情。

“母马哪怕跳得再高，
终会在地上落下脚印。
库木萨尔也不比你差，
你不要想从我这里脱身。
我想听你说说，
这到底是怎么一回事情，
你要告诉我实情！”

库特嘎尔巴斯的话很严厉，
狡诈的女魔受到了责难。
这个女魔开始讲话了，
她用花言巧语为自己辩护。
她不再眉飞色舞，
而是低着头沉痛诉说自己的苦楚。

从她说的话里，
听不出一点儿破绽。

“我的部落在节迪盖尔，
我的家在节提苏，
我的头发从没有剪过，
我是部落里顶尖的美女。

“我的母亲是罕见的有学问的人，
我的父亲是民间有名的医生，
我是部落的首领，
我给百姓讲述的，
都是正确的道理。

“我在部落中带领百姓，
百姓对我都十分亲切，
他们都服从我的管理。
我没有姐妹兄弟。
一切都靠我自己。

“那里有很多小伙子，
宰羊宰马，每天吃肉食，
刁羊赛马，每天欢欢喜喜。
他们个个自命不凡，
争强好胜，互不相让。
他们认为女人总要嫁人，
很多目光都留在我的身上。

“身为部落首领，
我洋洋得意心情舒畅。
对那些自以为是的小伙子，
我根本没有把他们放在眼里。

“在赛依特身边，
有个小伙子叫阔努什拜，
他四处飘荡不安分守己，
他是个富家子弟。
他每天派媒人来我家，

要我嫁给他做他的妻子。

“有一天，
我请了许多客人，
他把自己的牲畜吆来，
把肉煮进锅里。
当客人来我家时，
当着客人的面，
我婉言回绝了他的美意。

“他父亲听说后，
对此十分震怒：
‘就此打住吧，
你这个蠢货！
你真是癞蛤蟆想吃天鹅肉！’

“遭到我的拒绝，
听了他爸爸的数落和收拾，
他一口气跑到塔拉斯，
向赛依特诉说心中的怨气：
‘她是我们部落的佳人，
现在却变成了一个女魔谁也招惹不起。
不要说牲畜，
她连人也敢吃！’
说了我一大堆坏话，
放肆地将我的名声和人格贬低。

“赛依特听了以后向他表示：
‘我要把她绑在马背上，
作为战利品夺过来，
送给你阔努什拜，
让她老老实实做你的妻子！’

“我知道后十分恼火，
认为是对我的极大侮辱。

我当即公开宣称：
‘不要说阔努什拜，
就是赛依特本人我也不会嫁！
要是赛依特来了，
我决不会理他！’

“我说了很多苛刻的话，
赛依特因此恼恨不已。
‘我一定要把她夺过来！’
他的想法更加坚定不移。

“由于阔努什拜造谣，
赛依特与我结怨赌气，
‘女魔’的恶名由此传出，
传遍了四面八方。

“自从开启了玛纳斯时期，
西方的七个巨人，
东方的康阿依人，
没有他不敢去的领地，
没有他不敢消灭的勇士。

“‘我要把她夺过来，
作为战利品！’
赛依特重演故技，
一直与我角逐，
要我在他面前低三下四。
他不懂‘围坐在一起说正事’的规矩，
他不给别人留一点商量的余地。

“你们都是受人尊敬的汗王，
你们想一想，
难道这是好对付的事？
我斗不过他们，
只好四处躲避。

“没有能躲避的地方，
没有藏身的河谷，
我四处漂泊，
没有安身立命之地。

“每个人都有难处理的事，
每个人都会有痛苦的经历。

“塔盘汗收留了我，
我们只好在一起。
由于与赛依特作对，
导致部落内部分离。
巧依托隆和塔孜哈拉，
投靠了赛依特另攀了高枝。

“塔盘汗比我更需要寻找藏身之地，
我们一起投奔到你这里。

“‘扰乱民心是狡诈的人，
挡住太阳的是乌云。’

“尊敬的库特嘎尔巴斯，
在你的心目中，
难道我是狡诈的人？
难道我是遮住太阳的乌云？
难道你会这样的糊涂，
难道你就这样不懂事理？”

听了女魔的话，
人高马大的库特嘎尔巴斯，
把她的话儿在心里反复寻思：
“我要把你强行夺过来，
没有商量的余地。

“不是我要强娶她，
是有人要把她嫁给阔努什拜。

“赛依特刁难她，
是为了勇士的面子。

“女人出来迎战，
是为了保护自己。

“对于一个统领百姓的部落首领，
不愿意轻易嫁人是能理解的。

“斗不过对方逃跑也是应该的。”
库特嘎尔巴斯这样想着，
慢慢驱散了心中的怨气和怒气。

他又有了新的主意：
“她是不是在编造，
还是有其他的秘密？

“她会躲着我吗？
我要让库木萨尔暗中探察她的底细。

“我要与她睡一个晚上，
不要让塔盘汗得知这个主意，
如果她使花招耍我，
我要剥了她的皮！

“她的面色红润，
如果她是处女，
是一块别人没有碰过的生荒地，
我要好好享受她，
用尽全身的气力。
为了她我愿意继续与赛依特交战，
直到我剩下最后一口气！

“我要与塔盘汗商议，
把她娶过来，
做我的妻子。
人生在世，能活几时？
难得遇上这样的美女。
我要快乐地享受生活，
活在人世也要对得起自己。”

库特嘎尔巴斯这么想着，
他对女魔开了口，
转成了温和的语气：
“啊，美女，
你毫无保留地告诉了我，
告诉了我你痛苦的经历。
赛依特冲动无理惹恼了你，
你寻求依靠来到了我的领地。

“听了你的经历，
我心疼；
听了你的委屈，
我头痛；
听了你的诉说，
我全身冰冷。
你是一个部落的首领，
怎能忍受如此的苦痛。

“塔盘汗为民操劳为民做主，
他不顾自身的安危，
带领士兵挺身而出。
因为赛依特的暴虐，
他损失了众多大力士，
被赶出自己的领地。
加西勒杰克的百姓很仁慈，
库特嘎尔巴斯会保护你们的！

“自以为是的赛依特，
接受了十五天的休战限期。
我会重整旗鼓，
利用这十五天的时机。
他没有想到，
他迟早会被我消灭的。

“赛依特年少无知，
当我负伤之机，
他本应继续攻击将我杀死。
初出窝的鸟雀翅膀还没长硬，
他不明白战场上这样的事。”
库特嘎尔巴斯情不自禁面露笑容，
摆出一副老练的样子。

“他夸我是好样的！”
塔盘汗内心暗自欢喜。
听了库特嘎尔巴斯的话语，
女魔心里也早有了诡计。
他们各自都回到了自己的住地。

女魔此时此刻，
在暗地里窥视着库特嘎尔巴斯。
库木萨尔刚走到门口，
库特嘎尔巴斯又把他叫住了：
“我和你都彼此相信，
我有一个秘密想告诉你：
我希望你费一点心思。

“黑、红、蓝种族的士兵，
刚才都逃跑了，
我跨马追上了他们。
没有人表示异议，
都回到了原来的驻地。

“有一个叫塔尔塔克的人，
他的坦率众人皆知。
‘你身为汗王自己去交战，
也不告诉我们，
让我们与你同去。’
他对我表示了一些不满，
又说了一些有道理的话语。

“他最后说的几句话，
令我很难琢磨：
‘来到我们这里的那个美女，
她不是美女，
是个吃人的女魔。
你要格外留一个心眼，
把这一切都搞清楚。

“‘如果她嫁了人，
她的魔法就不灵了。
如果她不嫁人，
如果她吃了男人的肉，
她就不会再想男人。’
他告诉了我这些话，
我有点捉摸不透，
颇费脑筋。

“无论怎样，
这个美女的魔法比不过你。
今天晚上，我把她叫过来，
到底是怎么一回事，
我想试一试弄清她的底细。

“我现在与你商量，
你要看住她，
不要让她逃走，

不要让她发现你的身影，
你要注意观察她的动态行踪，
随时把情况向我回禀。”

“好，我注意那个美女！”
就在库木萨尔出门的一刻，
女魔躲了起来。
她躲进别人看不见的地方，
那是只能容下一个人的洞穴。
在洞穴里她辗转反侧，
想到了一个绝妙的对策。

“如果他叫我，
我就前去，
我用魔法诅咒他，
让他干着急，
发挥不了作用。

“在他面前，
我要故作多情，
我要挑逗他，
不让他起疑心；
我要使出千般手段，
让他筋疲力尽，
白费力气。
让他觉得自己无能，
让他感到心中有愧自不量力。”

“我有话要跟你说。”
她想好了主意，
主动走进了库特嘎尔巴斯的屋门。
听到声音他急忙从里面迎了出来，
他与姑娘肩并着肩，
显露出无限的温存。

“快把战刀拿出来，
在门框上挂起来！”
看到门框上挂的战刀，
没有人敢轻易进来。

等不及把战刀在门口挂上，
等不及走到大帐里面来，
库特嘎尔巴斯全身开始发热，
他走到姑娘面前，
向她表露心迹：
“我正想去你那儿呢，
你就走了进来……”
他用手抚摸着她，
抓到了她的裤腰带。

“如果我说什么，
他会怀疑的；
如果我拒绝，
他会揭穿我的秘密。”
她故作害羞的样子，
用手把脸蒙上，
一副娇羞无比的神态。
她仰面躺了下去，
呼吸短促，两眼迷离。

他俯下身去，
急促地喘着粗气，
他很想拥有她，
急切地占有她的身体，
可是不知为什么，
他却没有达到目的。

他出了一身汗，
汗水湿透了衣服的里子。
他感觉很难为情，

不像一个顶天立地的男子。
他收拢了两条腿，
低下头什么也说不出。
他只好一只手搂住姑娘的脖子，
一只手放在被子里。

狡诈的女魔装作什么也不知道，
好像被吓着的一头小鹿似的。
狡诈的女魔心中有数，
诡计多端地叹了一口气。

“已经结婚的女人们，
见过很多身强力壮的勇士。
我小时候就听她们说起过，
‘特别性急的男人，
到时候不会硬起。’

“今年我刚满二十岁，
啊，库特嘎尔巴斯勇士，
我心里只有你，
我对你特别感兴趣，
我愿真心实意地服侍你！”

狡诈的女魔装作失望的样子，
像一个被冷落了的女人。
她不知羞耻地抚摸着他，
胸脯贴着胸脯，
在他的左右脸颊不停地亲吻着。

如果是一个正常的人，
如果在这销魂动魄之时，
早就与她忘我地缠绵。
不争气的库特嘎尔巴斯，
已经是大汗淋漓，
仍然力不从心无法如愿。

她亲吻着他的嘴唇，
力不从心的库特嘎尔巴斯，
羞得更加面红耳赤，
不可自抑。

狡诈的女魔在这时候，
看到库特嘎尔巴斯羞愧的样子，
将这一番话语，
灌进了库特嘎尔巴斯耳朵里：
“狂热的心冷却了，
燥热的血液不得不平息，
我现在无精打采，
已没了那份心思。

“这不是你的过错，
我的库特嘎尔巴斯！
你曾被赛依特的长矛击中，
流了很多很多鲜血，
耗费了太多的精力。

“哎，激烈交战的今天，
不是享乐之时。
这点事算得了什么，
你不必脸色通红不好意思。

“亲爱的汗王，
你没有达到目的，
我也没有得到满足。
都怪我太害羞，
你性子又太急。

“本来我们可以如鱼得水，
本来我们可以如胶似漆，
可是我们都无精打采没了兴趣。

以后的机会还很多很多，
你不要垂头丧气！”

她滔滔不绝，
没完没了地说着：
“直到二十岁之后，
我没有非分之想，
我仍然保持着贞洁。

“你为我受了很多苦，
我不会辜负你的。
我的头发没有人碰过，
我的身体没有人见过。
我给予了你，
库特嘎尔巴斯，
除了这，
我没有别的可以给你！

“我到处逃避，
我没有找金子的能力。
你是一个健壮的汉子，
我对你非常满意！”

狡诈的女魔能说会道，
她用自己的花言巧语，
骗过了多疑的库特嘎尔巴斯。

女人总是这样，
能够轻易地消除男人的怀疑。
妄想试探和占有女魔，
结果反而被女魔迷惑戏耍。
战刀仍然挂在门上，
没有人敢随意踏进门里。

库特嘎尔巴斯把战刀从门上取下，

恋恋不舍地送女魔出门。
他有点儿委屈，
多少还有点不好意思。

库木萨尔走进屋来，
库特嘎尔巴斯对他说：
“今天是怎么了？
无论我怎么努力，
都无济于事！
有什么好的办法吗？
求你助我一臂之力。”

库木萨尔心想：
“他的声音有点哽咽，
他的脸色暗淡无光。
他的伤口深处化脓，
是否把下身器官损伤？”

还不等库木萨尔开口，
库特嘎尔巴斯抬头解释：
“自从我取名叫库特嘎尔巴斯，
这样的状态，
我从来不曾有过。
我满脸的汗水，
枉有一身气力，
这样的状态，
叫人窝火在心里！”

库特嘎尔巴斯这样说着，
把一切都告诉了库木萨尔，
库木萨尔佯装正经，
帮他解析困惑。

“这样古怪的事情，
我没有见过，

也没有听说过。
如果男人畏惧女人，
就会有这样的状况，
我好像听人说起过。
听说她不是一般的美女，
男人要征服她可没那么容易。

“你说自己不行，
何必为它难过，
这样的事情，
就让它像业已消失的泡沫。

“她没有说什么吗？
她的声音是否像豺的笑声一样尖刻？
她嘲笑你了吗？
笑你就那么点能耐，
毫无气力？”

“她没有那样说，
没有嘲笑我。
‘我今年二十岁，
狂热的心，逐渐冷却了。’
她只是小声说，
她害羞地低着头，
声音有点难过。”

库木萨尔听了这样的话，
耐心地把库特嘎尔巴斯劝说：
“行了，库特嘎尔巴斯，
再不要为这事烦恼难过。
她对你已有了感情，
一个二十岁的姑娘，
到了出嫁想男人的时候。

“太阳晒的时间长了，

冬天的冰也会融化成为溪流。
请你耐心等待，
等到花儿开放的时候。

“她也正在想你呢，
只是这几天正在忙于交战，
你受了伤，精力不足。
待到以后再去试一试，
你会享受到人生的快乐！

“不要光想着姑娘美女，
要想着自己的民众和部落，
想着赛依特这样的勇士怎么对付。
你只有养好了伤，
准备充足，顽强交战，
才不至于全军覆没！

“再不要继续与美女缠绵了，
现在正是准备交战的时候。
眷恋美女的勇士，
作战的气力就会丧失；
沉溺于美女的勇士，
作战的智慧就会不足。

“说实话，库特嘎尔巴斯，
现在我不想听你的诉说。
等到医好了伤口，
等到你能把长矛紧握在手，
歼灭了赛依特，
凯旋以后你再尽情享受生活！”

魔法师库木萨尔说罢这番话，
站起来走向门口。
库特嘎尔巴斯抓住他的手：
“那你快点给我治好伤口！”

库特嘎尔巴斯战败逃跑

赛依特与库特嘎尔巴斯部署新的战斗

已经满了十五天了，
库特嘎尔巴斯的伤口恢复。
他召集一众将领，
塔盘汗、库木萨尔、女魔都到齐了，
他们又要做什么？

库特嘎尔巴斯坐下来，
威严地开了口：
“你们都来了，
大家都坐下来，
细听我说。

“大力士中，
库奈扎已经丧生，
大将当中，
已有一半牺牲在赛依特之手。
年长者有塔盘汗，
年轻者有库木萨尔，
还有七个大力士，
可以做后盾紧随我左右。

“你们不要胆怯，
要勇敢面对赛依特。
就像单独交战一样，
要有战胜对手的勇气。

“塔尔塔克带领三个大力士，
明天先行迎敌。
要用最好的武器装备，

要有充分的精神准备。

“如果准备得不充足，
会被赛依特置于死地。
塔盘汗手握旌旗，
美女夹在中间，
与握旗的汗王保持一定距离。
我与众多士兵同行，
各部之间要加强联系！”

库特嘎尔巴斯交代罢这些，
又向侍卫发出指令：
“贫穷的柯尔克孜人都很愚蠢，
你们去探一探，
他们都在干些什么，
要摸清他们目前的底细。
幸运会在哪一方？
是在赛依特那边，
还是在我库特嘎尔巴斯这一边？”

塔尔塔克带领三个大力士，
手握磨利了的长矛，
又将毒液涂在矛尖。
他们磨快了战斧和大刀，
士兵们通宵达旦准备着，
整夜未曾合眼。

库特嘎尔巴斯一方的动静，
引起了赛依特这边勇士们的思忖。
节迪盖尔来的阔努什拜，
指着远方忙碌的身影发问：
“你们看，
这是哪支队伍，
他们为什么通宵达旦没有睡觉？
忙忙碌碌，

没有熄灯？
十五天休战的期限刚到，
那边发生了什么事情？”

赛依特这样回答他的弟兄：
“巧依托隆、塔孜哈拉，
勇士塔帕克、阔努什拜，
还有众多士兵，
你们不要畏惧，
你们尽管放心。

“昨晚，我做了一个怪梦，
梦中我清楚看到，
祖先玛纳斯高大的身影！
梦中我与巨龙争斗，
梦中我与大熊摔跤，
梦中我与猛虎较劲！

“大象成群而来，
甩着短尾，威风凛凛。
所有的猛兽都来了，
刺猬、野驴、巨蜥和蛇，
也夹杂在其中。
令我感到奇怪的是，
就是没有见到飞禽。

“野兽咧着嘴，
狐狸龇着牙，
瞪圆了眼睛。
豺狼从四面包围过来，
跃跃欲试准备进攻。

“大雾笼罩着天空，
大地上洪水汹涌，
我被一张巨网笼罩住困在其中。

“很多大象来了，
熊披头散发地向前围拢，
蛇弯曲着身子前行，
就连蝎子也聚在一起向我进攻。

“我口干舌燥，
气喘心惊。
我耗尽了气力，
筋疲力尽。

“正在我无力应付的时候，
北方突然刮来了一阵大风。
狂风裹着暴雨，
刮了好一阵子雾才渐渐散去，
晴朗的天地广阔无垠。

“一簇红色的火焰照亮大地，
天空传来一阵轰隆隆的响声。
‘这是怎么回事？’
我呆望着天空发怔。
‘阿勒普神鸟要来！’
天空传来一声威严的叫声。

“飞来的神鸟，
突然变成了一个人：
‘我是你的祖先玛纳斯，
你受苦了，我的子孙！
跟随在我身后的，
是众多举世无双的英雄！

“‘阿勒曼别特、楚瓦克，
是一对雄狮；
你的祖先色尔哈克，
是一个充满智慧的人。

“‘他们出现在你的面前，
他们不会用话语与你交流呼应。

“‘骑着红沙色骏马的，
是你的赛麦台依爷爷。
骑着灰白色骏马的，
是古里巧绕巨人。
消灭了所有的敌人，
你会获得新生！’

“听了先祖玛纳斯的这些话，
我顿时感觉力量倍增。
逞能的库特嘎尔巴斯，
他会被我征服，
他能有多大的本领？！

“祖先玛纳斯的英魂显灵，
我感到力量无穷。
他明确地告诉了我一切，
我应当忠实履行！

“不管对方谁站出来挑战，
我敢于单独与他拼杀。
无论敌人怎么挑衅，
库特嘎尔巴斯终归会被正义战胜！

“库木萨尔魔法师、狡诈的女魔，
库特嘎尔巴斯会指派他们上阵。
居仁朵的神奇衣衫，
阿勒曼别特的魔幻披风，
阿克库拉骏马的笼头，
它们都有非凡的功能。
还有祖先留下来的色尔神矛，
都掌握在我的手中！

他们用什么样的魔法，
对我都不管用！

“阔努什拜，
阿勒玛巴什神枪你要背在身上，
阿勒曼别特的苏尔弓箭，
勇士塔帕克，
你要把它紧握在手中。
只要神箭在手，
魔法就会失灵！

“对那些前来交战的敌人，
只要你不畏惧逃跑，
只要你勇敢展示你的本领，
只要你高呼着‘玛纳斯’的名字，
敌人就无路逃跑遁形。

“如果是库特嘎尔巴斯与你交战，
你不要紧张要大胆从容，
把学到的本领都用上，
充分展示你的威猛。
倒下去的对手，
你千万不要靠近。
你面对的众多大力士，
只不过是他们制造的幻影。

“巧依托隆，
你要高高擎起旌旗。
阔努什拜，
你要紧随其后，
把神枪握在手中。
用衣衫挡住阳光，
眼睛紧盯住敌人的动静。

“塔孜哈拉，

你要保持距离与我并行，
库特嘎尔巴斯不会轻易言败，
他会拼死与我们争斗。

“如果他的城市无人防守，
你们不要贸然进入他的城中。
他们会在所有的食物中放毒，
在我未到之前，
你们千万不要轻举妄动。

“如果塔盘汗派人来，
‘我犯了过错，
我的孩子们。’
你们不要开口讲话，
千万不要轻信他的谎言。

“如果他说：
‘赛依特死了。’
你们就说：
‘让我们看看他的马，
还有马头上的笼头！’”

赛依特交代完毕，
他让手下人鞴好鞍具，
牵过缰绳。
他矫捷地跨上骏马，
迎风而立，
观察着战场的动静。

这边的塔尔塔克正准备出击，
库特嘎尔巴斯摇着马鞭，
走了过去：
“美丽的姑娘，
库木萨尔魔法师，
还有勇猛的七个大力士，

你们听从我的指挥。

“你们要沉着冷静，
先不要急着策马出击。
不管哪一位柯尔克孜人出战，
你们都要沉住气，
要让他的眼睛看不见，
要让他眼前像黄昏一样迷离。

“塔帕克是有名的大力士，
当他眼睛迷茫时，
你们赶过去趁机把他消灭。
让他永远躺在大地！

“万一塔尔塔克战败了，
你们两个大力士就一起上去，
如果你们都战败了，
有我在会替你们报仇雪耻！

“还站着的其余四位大力士，
你们也要听从我的调遣和布置：
在队伍的后面，
在朝向加西勒杰克的方向，
有一条一匹马可行走的小路，
你们中的一位大力士留在那里；
再往前走，
在一个叫卡克艾提别斯的荒野，
另一位大力士留在那里；
再继续往前走，
有一个叫比勒其里达克的沼泽地，
再留一位大力士在那里。

“剩下一位大力士，
不要让人看见你的身姿。
在胡杨林的树丛中，

有一棵葱茏的榆树，
树荫下可容一百人和一百马匹，
你们在那里埋下伏兵。
你们不要走远了，
要耐心等待着那个柯尔克孜疯子。

“塔尔塔克带领三位大力士，
如果塔尔塔克战败了，
我将上阵砍下塔帕克的头颅。
那时赛依特会冲出来，
一心想为塔帕克报仇雪耻。
我要亲自和赛依特交锋，
把他引进我的埋伏圈里头。

“我料想在两军作战时，
天气就会变，
尘土从地面上飞扬而起，
沙尘会弥漫大地。
我要让赛依特迷惑不清，
把他引向你们那里。

“就算他闯过了第一道关口，
他怎能闯过第二道关口？
如果他闯过了第二道关口，
到了第三道关口，
他连人带马就会被捉住。
即使他闯过了第三道关口，
第四道关口有我在，
一个最精壮英武的人等着将他擒拿在手。

“等他到了那里，
他的战马会累倒趴下，
他自己会累得没了力气。
握着武器的手会发抖，
两只眼睛会发直昏迷。

“我们会抓住赛依特，
打败这个不知天高地厚的小子！
其余的事情，
我们以后再从长计议。
如果我们的怒气不消，
如果我们士气不息，
我们就乘胜挥戈一直打到塔拉斯去！”

库特嘎尔巴斯临阵脱逃

库特嘎尔巴斯交代完毕，
他的大军挥戈出征，
卷起满天沙尘。

塔尔塔克走在前面，
得意的样子非同一般。

这个高大的奴才，
看上去像硕大的稻草人一般。
他的上唇往上翻卷，
他的下唇往下翻卷。
他的肤色黑得像煤炭，
扁平的鼻子占了大半张脸。

他的胡子长短不齐，
他的胡须有点卷曲。
他的牙齿露在嘴唇外边，
他的耳朵像大象的一样垂在两面。
他的衣襟扇动着，
马镫带子放得很长，
两条腿摇摆在马肚两边。

鼻孔大张着直冒热气，
像是一头发情的公羊冲向山涧。
他梗着脖子在叫喊，
像是一头发狂的公驴站在乱石中间。
他张开大嘴时，
好像要一口吞噬眼前的高山。
他的眼睛像是被蒙上了一层雾，

吼声震动着河谷山川。

他长矛的尖端，
像燃烧着一团烈火，
头顶和胡须周围，
有乌鸦和喜鹊在那里筑窝。

他身材高大，
像被风吹动着的梧桐树。
他自言自语地吆喝着什么，
吓呆了奔跑在荒原上的许多动物。

“塔尔塔克！”
他喊着自己的名字，
他朝天叫着像要把天上的月亮抓住。
他骑的骡子叫喀拉苏尔，
直直地竖着两只灵敏的耳朵。
大地的脸被撕破了，
天空飘散着一股尘土。

塔尔塔克是个有个性的勇士，
他挺胸直立显示出勇士的气魄。
这时他鞭策着喀拉苏尔挥舞着长矛。

“你是赛依特，
我是塔尔塔克，
活在这个世上的人，
没有一个能战胜我！
与我交战的人，
我会让他小命不保！

“他的马在战场会拖着缰绳逃跑，
他的马鞍会是空的，
不见了骑手。
它会被我的威严，

吓得不知往何处逃！”

塔尔塔克充满了骄横和自负，
妄自尊大胡喊乱叫。
巧依托隆和塔孜哈拉，
他俩的心紧张得“怦怦”直跳。

尘土飞扬，
沙雾翻卷着涌向天空，
塔尔塔克挺起长矛憋足了劲。
他赶着骡子冲了过去，
矛尖对准赛依特的侧身。

“让这头野兽不要有遗憾！”
玛纳斯曾进入他的意境，
吉凶祸福他已经心知肚明。
赛依特端坐在马背上纹丝不动，
他的内心像一潭清水一般平静。
当塔尔塔克的矛尖刺向他时，
赛依特挥动利斧轻轻一击。
塔尔塔克的长矛被击碎，
矛尖变成碎片飞向空中。

在荒原上自命不凡的这位勇士，
其实没有见过多少血腥。
他抽出腰间的狼牙棒，
凶猛地奔跑再次冲了过来，
就像一只猛兽乱闯乱冲。

他把所有的力气都集中在手上，
比上一次更加凶猛。
他坚定信心，
吐了一口唾沫在手中。

他的眼睛喷着火焰，

脸上露出拼命的表情。
观战的人目瞪口呆，
等待着一场血肉横飞的厮杀场景。

谁是胆小鬼，谁是英雄?
考验的时刻就要来临。
赛依特挥动板斧挡了过去，
狼牙棒被击落掉在地上，
“当”的一声发出响亮的声音。

赛依特顺势又抡起大斧，
砍断了对方的肋骨和腿筋。
塔尔塔克像被砍倒的一棵杨树，
从骡背上滚落在地面。
赛依特顺手又砍下他的头颅，
结束了塔尔塔克的性命。

按照库特嘎尔巴斯的吩咐，
另三位大力士策马向赛依特猛攻。
身经百战的英雄赛依特，
沉着镇定不慌不忙，
将战刀紧紧握在手中。

三个奔杀而来的大力士，
从三个方向向赛依特进攻。
当矛头就要触到的一刹那，
矫捷机敏的赛依特，
突然在马背上仰面平躺。
冲杀过来的两位大力士，
刺出的长矛来不及收手，
互相戳进了对方的前胸!

另一位大力士没等勒住马，
勇士赛依特一个翻身，
挥刀劈向他的腰腹，

这位大力士也倒在血泊之中。

作为前锋的四个大力士瞬间送命，
库特嘎尔巴斯怒气冲冲。
他像冬天发情的骆驼，
嘴里喷着白沫，
发出巨大的吼声。

他像一只被盗了崽子的母狼，
心中充满了仇恨。
赛依特看着库特嘎尔巴斯，
眉毛舒展了，心头格外平静。

像大地裂开了缝，
像洪水一样汹涌。
“我要让赛依特瞧瞧，
我库特嘎尔巴斯是怎样的英雄。”
库特嘎尔巴斯怒火难平。

“你从柯尔克孜部落来到这里，
是你引发了这场战争！
母亲生我男儿身，
我比你不差半毫半分。
我要让你回不了你的故乡，
我要让你瞧瞧我的本领！

“天下的兵法，
你只掌握了七十二种。
我库特嘎尔巴斯的本领，
比你还多四五种！
你欺负塔盘汗让他无处藏身，
你紧追美女不放，
不达目的绝不收兵。
今天你落在我的手里，
我要结果了你的小命！”

他歇斯底里地吼叫着，
不时用舌头舔着嘴唇。
他胸中满腔的怒火，
凝聚在手里长矛的矛锋。
他策动着其其汗苏尔骏马，
挺着长矛向赛依特猛冲。

“这次我会刺中他的，
刺向马鞍的前头对准他的前胸，
刺在马膀胱的上侧他的下身，
如果被我的矛枪刺中，
他定然难以活命；
如果被我的矛枪刺中，
他就是一座大山也会轰然倒地，威风丧尽！”

长矛的矛尖用白色纯钢打造，
浸入毒液中淬过火。
库特嘎尔巴斯暗中盘算着，
向赛依特发起凶猛的进攻。

年轻的猛虎赛依特，
放松了骏马的缰绳。
他目不转睛地看着，
紧盯着对手的举动。

就在库特嘎尔巴斯冲来的瞬间，
他躲开了对手的矛尖，
对准库特嘎尔巴斯的右腰侧，
犹如划过长空的闪电狠狠刺出一枪！

库特嘎尔巴斯应声浑身一战，
他大叫一声抱着肚子翻身落马，
他倒在地上，一声不哼。

库特嘎尔巴斯战败逃跑

“我要消灭他不能让他脱逃！”
英雄赛依特拨转马头，
俯身向库特嘎尔巴斯驰去。

狡诈的库特嘎尔巴斯，
不是一个好对付的狠角，
他是一个不要命的狂徒，
有许多狡猾的招数深藏在心头。
其实他并没有受伤，
而是假装受重伤躺在地上，
是想趁对手不备伺机动手。

他握着腰刀在地上躺着，
像受了重伤似的一脸痛苦。
“等他骑的骏马跑过来，
我会砍断他的马蹄！”

当赛依特的骏马，
靠近库特嘎尔巴斯的时候，
库特嘎尔巴斯挥刀砍过去。
赛依特的坐骑突然跃起，
赛依特从马背上摔落在地，
远处响起士兵们的一片惊呼！

看到赛依特从马背上摔了下来，
“我要消灭这个小子！”
满脸杀气的库特嘎尔巴斯，
高举着腰刀向赛依特砍去。

巧依托隆和塔孜哈拉，
勇士塔帕克和阔努什拜几名勇士，
他们的心都悬了起来，
紧张的心情格外焦急。
狡诈的女魔和塔盘汗，
拍手大笑兴奋不已！

就在明晃晃的腰刀将要落下之时，
赛依特的骏马，
这匹出色的神骥，
用后蹄猛踢过去。
库特嘎尔巴斯双手捂着脸，
痛得在地上打滚，嚎叫不已！

库木萨尔变成一只凶猛的狮子，
向英雄赛依特扑去。
女魔借机把其其汗苏尔马的缰绳，
送到了库特嘎尔巴斯手里。

赛依特趁机跨上骏马，
向库特嘎尔巴斯逼近。
两个英雄又开始交锋，
他们挥舞着长矛互相搏击。

蜂拥而上的士兵们，
纷纷向两边退去。
两位英雄用长矛相刺，
长矛被相互抵住；
他们用斧头、铁锤相击，
迸溅的火星在空中闪烁。

他们撕扯着对方的铠甲，
伸出的手臂交织在一起。
他们撕拉着对方的衣领，
手掌上磨掉了一层肉皮。

他们在马上用力撕扯着，
大口地喘着粗气。
他们互相击打着对方的身体，
双方都耗尽了力气。
他们都盯着对方的薄弱处，

都想把对方置于死地。

这是攸关命运的一战，
谁也不肯轻易停息。
如果勇士赛依特取胜，
他不会把对方的财富看重。
库特嘎尔巴斯和塔盘汗，
如果他们能够改邪归正，
他不会将他们贬为百姓。
他不会让他们下台，
他不会吹熄他们宫殿的油灯。

如果库特嘎尔巴斯取胜，
他会带兵去把塔拉斯抢劫，
他会让老人愤怒，
他会让孩子们哭泣。
他会践踏那里的妇女，
他会让姑娘们成为奴仆。
无论白发苍苍的老人，
还是躺在摇篮里的婴儿，
他会给他们带来灾难，
他会让他们躺在血泊之中。

都是因为那个女魔，
塔盘汗上当了，
很多勇士命丧大地；
都是因为那个女魔，
库特嘎尔巴斯失去了理智。
在南方和北方，
这个该死的女魔，
挑起了战争，
让几个有本事的勇士，
残酷相斗，交战不息。

赛依特和库特嘎尔巴斯酣战，

你来我往，难见高低。
突然间库特嘎尔巴斯催马奔上高坡，
和库木萨尔魔法师站在一起。

赛依特策动骏马，
内心升出一股火热的豪气：
“战胜不了库特嘎尔巴斯，
我还不如死去！”

雄狮被激怒了，
这个年纪二十岁的英雄，
激情燃烧的青年，
嘴里高喊着“玛纳斯”的口号，
紧握锋利的长矛，
冲杀了过去，
胯下的骏马把沙尘扬向天际。

此时库木萨尔魔法师说：
“你听着，库特嘎尔巴斯，
激怒了的柯尔克孜正在向你冲来，
你要多加小心，不可大意。
你要巧妙地与他周旋，
然后伺机从战场逃离！

“他的胳膊充满了力量，
他的脸上充满怒气。
如果你不逃跑的话，
不管你是多么厉害的英雄，
他都会让你一败涂地！

“我把知道的都告诉了你，
如果你不撤退，
库特嘎尔巴斯！
我可要回去了，
我不想把性命丢在这里！”

库特嘎尔巴斯战败逃跑

库木萨尔逃跑了，
跑得不见了踪迹。

“还没有用长矛交战，
还没有用大斧砍劈，
还没交手就逃跑了，
没见过这样的怕死鬼！”
库特嘎尔巴斯是位勇士，
他心里独自嘀咕着，
把疑惑暗暗埋藏在心底。

他没有惧怕赛依特，
库特嘎尔巴斯毕竟是坚强的英雄，
他鼓足了勇气，
准备对付对手的攻击。

这时候他眼中的赛依特，
不是一个人，
突然好像变成了两个人。
他旁边的那个人，
长着花白的胡须，
他的长相有点像人，
又像不曾相识的一位天外来的神人！

他的眼睛像启明星一样闪亮，
两肩上方闪耀着彩虹般的光芒。
他伟岸的身材背后的影子，
像是镶着金子和银子。
他有着神鹰的威猛，
随时准备俯冲猎物。
他骑着红沙色骏马，
他的高贵气质超凡脱俗。

他腰间佩戴着战刀、月牙斧，

远远望去光耀夺目。
他身上的战袍，
高贵而又华丽。

他胯下的战马奔驰的样子，
所有骏马无可比拟。
他身背的箭袋中的箭杆，
一根根像树木一般粗细。
他挺着矛枪向库特嘎尔巴斯冲去，
像一只巨大的飞鹰降落大地。
他那身后的影子，
像一座山在飘移！

是人还是天使？
是在人间还是天堂？
库特嘎尔巴斯看着呆住了，
他头脑发昏，双眼迷离。

“与这样的人交战，
我肯定会被消灭！
只有趁机逃跑，
混进士兵的队伍里，
除此之外，
我还有什么办法？

“面对着这只雄狮，
在生命攸关之际，
哪里还顾得上英雄的尊严，
我只能这样赶紧逃逸。”

不敢与英雄交战，
不敢与赛依特面对面搏击。
不知羞耻的库特嘎尔巴斯，
扬起手中的马鞭，
驱赶着骏马慌张逃离了，

逃进了混乱的十五万士兵队伍里。

这时候勇士塔帕克、巧依托隆，
塔孜哈拉和阔努什拜几位好汉，
一个个翻身上马，
准备冲上前去。

英雄赛依特大声喊着，
招呼着他的同伴：
“当看到那么多人的时候，
你们不要贸然冲杀向前。
库特嘎尔巴斯那是因为害怕，
躲进了士兵队伍中间。

“我们不能伤害无辜的士兵，
不能让无辜的士兵血花飞溅。
同伴们，你们听着，
我的忠告要牢记心间！”

看到这样的情景，
库特嘎尔巴斯的士兵议论纷纷。

“是赛依特制止了他的部下，
他是一个有血性的首领。”

“那个柯尔克孜大力士，
多有智慧，多有人性！”

“进攻的口袋都打开了，
要消灭我们是轻而易举的事情！”

“我们的可汗担心自己的生死，
夹在我们中间命令我们前行。”

“赛依特能追上我们，

他一挥手就能杀死四五十个兄弟。”

“像羊圈里的羊粪蛋，
我们的头会在地上滚动！”

“我们汗王的头上被黑雾笼罩，
他向来不顾及我们的性命！”

“赛依特保护他的士兵，
不让一个士兵轻易牺牲！”

“这是自从玛纳斯以来，
柯尔克孜光荣的传统！”

正当人们议论纷纷的时候，
传来赛依特喊话的声音。
英雄说的这些话，
我要用史诗唱颂。

“库特嘎尔巴斯的部下，
你们要把是非分清！
多少年来，我们平安相处，
维护着一方的和平。

“今天，我们用长矛交战，
我们用大刀交锋。
我们挥舞着铁锤，
不顾对方的性命。

“无辜者的鲜血把荒漠染红，
把你们推向死亡的，
是你们糊涂的首领！
在紧要时分，
你们的首领却逃跑了，
让士兵掩护他的性命！

“众多的勇士和士兵，
我和你们没有仇恨，
那个狡诈的吃人女魔，
才是真正的罪魁祸首！

“被女魔诱骗的塔盘汗，
对我的忠言一点也听不进。
我说过只要把女魔交出来，
塔盘汗继续当汗王管理百姓。

“没想到库特嘎尔巴斯，
也被女魔蒙蔽了心灵。
如果库特嘎尔巴斯丢掉性命，
谁还敢娶女魔为妻？！

“我不会伤及无辜的百姓，
你们不要轻信库特嘎尔巴斯的煽动。
如果你们跟着他轻举妄动，
就会像风吹飞蓬失去性命。

“我是玛纳斯的子孙，
我不会违背自己的诺言轻言罢兵，
达不到目的，我不会罢休。
就是追到天涯海角，
也要把库特嘎尔巴斯抓住。
我要从库特嘎尔巴斯手中，
追回那个吃人的女魔，
让她现出原形！
为受害的民众除掉这个恶魔，
是玛纳斯子孙的本分。

“如果库特嘎尔巴斯钻进地下，
我就从头发上将他拽住绝不放松；
如果库特嘎尔巴斯飞向天空，

我就在地上拽住他的脚让他无法脱身；
无论他钻入地下或飞向天空，
都逃不脱我的追踪！

“库特嘎尔巴斯不会飞到天空，
他的马会疲劳，
他的战袍破旧，
挡不住天上的狂风。
他的马蹄会肿大，
会累倒在地上无法行动。
即使他逃到天南海北，
也摆脱不了失败的命运。

“当他走投无路的时候，
他会伙同塔盘汗和女魔一起逃遁。
那时，塔盘汗将会被消灭，
库特嘎尔巴斯与他终归不是一路人。

“狡诈的女魔最终会落到我的手中，
就像一只放了气的皮囊现出原形。
库特嘎尔巴斯会羞愧万分，
将自己结束自己的生命！

“他会像一只被马蹄踩过的青蛙，
扁扁平平地卧躺在地上！”

赛依特说着抓住钢刀的把柄，
把刀从鞘中抽出。
赛依特面对敌人，
掩不住内心的盛怒。

“如果谁活够了，
就到我这里来碰一碰。
我正在气头上，
我不会让你轻易保住性命！

“如果你还想活命，
就站在原地不要乱动。
我不会伤害放下武器的士兵，
我追赶的是库特嘎尔巴斯和那个女妖精！”

听了赛依特的一番话语，
“我上去。”
说这样话的人少。
“我不敢去。”
说这样话的人多。
大家七嘴八舌，
畏畏缩缩没人敢上前抗争。

追赶着库特嘎尔巴斯，
赛依特兵不血刃，
穿越在众多士卒之间，
士兵们纷纷让路给仁义的英雄。

在众多的士兵中间，
库特嘎尔巴斯和库木萨尔遮掩着逃跑，
女魔和塔盘汗，
也悄悄躲在逃跑的队伍之中。

高喊着“玛纳斯”的口号，
赛依特策马冲了过去。
“你看，赛依特太嚣张了！”
库木萨尔和女魔，
施出魔法放出骇人的火焰。

库特嘎尔巴斯和塔盘汗，
神色紧张硬着头皮准备交战。
雄狮赛依特毫不畏惧，
他见惯了妖怪的魔法，
更不把这些手下败将放在眼里。

他穿过熊熊燃烧的大火，
像猛虎一般飞扑到对手面前。
他挺起长矛，
年老的塔盘汗首先被扫落马鞍。

他挡回库特嘎尔巴斯的矛尖，
又将长矛旋转着刺过去，
自以为是的库特嘎尔巴斯，
来不及躲闪从马上滚落，
像飞蓬一样摔出好远！

不等赛依特收回长矛再刺过去，
库木萨尔慌忙将魔法施展。
一座高高的山峰，
突然横在赛依特和库特嘎尔巴斯之间。
库特嘎尔巴斯慌忙跨上其其汗苏尔骏马，
朝着加西勒杰克的方向没命地逃窜。

赛依特挥舞着居仁朵的衣衫，
只见山摇地动，
山峰又变成了平川。
勇士策马追杀，
紧随在库特嘎尔巴斯的后面。

他喊着“玛纳斯”的口号，
胯下的骏马，
奋力向前。
骏马竖起两只耳朵，
鼻子冒着青烟，
尾巴后卷起一阵风，
肚子贴近了地面。

在前边逃跑的库特嘎尔巴斯，
渐渐出现在赛依特的视线。

库特嘎尔巴斯事先做了手脚，
在路上设置了障碍企图将英雄阻拦。

第一道障碍快到了，
他看见了赛依特的身影越来越近。
就像被猎鹰追赶的鸽子一般，
库特嘎尔巴斯十分慌乱。

他胯下的其其汗苏尔马，
左右摇晃着向前逃窜。
他用左右脚跟磕碰着马肚，
只顾逃命不顾了颜面。
他胯下的骏马披散着鬃毛，
拖着尾巴跑得一溜烟。

我们把这些先放下，
看一看逃跑的库特嘎尔巴斯，
是怎样被歼灭的，
我们的故事再从这里唱起。

库特嘎尔巴斯

被歼

英雄赛依特，
眼看快要追上了库特嘎尔巴斯，
突然一个彪形大汉挡住了去路。
若是追上库特嘎尔巴斯，
库特嘎尔巴斯必定命丧大地。

第一个挡道的人，
是库特嘎尔巴斯的部下恰那克勇士，
这个恰那克，
是库特嘎尔巴斯最精壮的勇士之一。

要知道他的情况，
不得不将以前的一个故事提起。

有一次，
因为一件不起眼的小事，
五十个人同恰那克发生了争执。
五十个人轮流鞭打他，
有些人累得汗流浃背，
有些人累得抬不起手臂。
他却像一块木板似的，
昂首挺胸毫不在意。
直到所有人都累得昏了过去，
他似乎一点感觉都没有，
脸上还露出了得意的微笑。

“他不怕挨打，
巨人恰那克，
他怎么那样皮实？！”

从此他远近闻名有了名气。

巨人恰那克策马而立：
“哈哈，柯尔克孜的赛依特。
我在这里，
你休想从这里往前迈出一步！”
他挺着肚子挡在路上，
像初生的牛犊不怕老虎。

他的胸脯，
就像两个西瓜挂在前胸。
老鼠眼睛，耷拉着眼皮，
塌塌的鼻子，嘴巴扁平。
厚厚的下唇向外翻卷，
不停地用舌头舔着嘴唇。
他骑着一头犀牛，
两条腿拖在地上，得意地甩动。

他从未拿过刀枪，
不习惯使用铁器。
哪里有梧桐树他就连根拔起，
这是他惯用的武器。

库特嘎尔巴斯下了命令，
让他在第一道关口埋伏。
他沿着河岸寻找，
看中了一棵梧桐树。
这棵树大约十庹高，
六个人伸出胳膊才能抱住。
树枝遒劲，树叶繁茂，
这样的大树世间稀有。

恰那克伸出手去，
不费吹灰之力，
轻轻就将大树连根拔起。

这样的大力士，
赛依特以前不曾见过。

恰那克不问对手的名字，
挥舞着巨树向赛依特发起攻击。
恰那克十分自信，
妄图将赛依特一举打死。
看来这场激烈的战斗，
不会轻易结束。

赛依特仔细观察，
打来的梧桐树不好挡回去。
要想刺中恰那克的腋窝，
中间还有一段距离不便出手。

恰那克挥舞巨树打过来，
地上腾起一团沙雾。
赛依特连人带马躲闪到一边，
沙尘遮住了恰那克的双目。

“赛依特在哪里？！”
当他转身寻找对手的时候，
神奇的色尔长矛，
刺中了他的腋窝。

赛依特高喊着“玛纳斯”的口号，
挺着长矛冲了过去，
神矛刺进对方的胸膛有半庹的深度。

好一个恰那克，
面对刺进半庹深的伤口，
他依然手握巨树，
毫不在乎！

“如果对手缓过劲来，

交战就会拖延很久。”
想到这些，
赛依特迅速拔出长矛，
对准恰那克的喉咙又刺了过去。

骑着犀牛的恰那克，
朝后转过身去。
恰那克没有穿戴铠甲，
在以往的交战中，
每一次挥舞巨树，
长矛、利刀、月牙斧，
都不曾把他的身体触及过。
他只相信手中的梧桐树，
英雄赛依特的本事他没有领教过。

赛依特掉转马头，
手握月牙斧，
对准恰那克的太阳穴，
又狠狠击了过去。

那么重的斧头，
那么大的气力，
恰那克的头骨没有裂开，
他的头竟然没有被打破？！

赛依特接二连三地猛攻，
令巨人恰那克十分恼火。
被激怒了的恰那克，
像一头发威的猛兽。

他挥舞着巨树，
他旋转着巨树，
巨树掀起的风暴，
刮到三天路程以外的远处。

河里的水堵塞变成了湖，
流水消失的地方，
草原变成了荒漠。
森林里的羚羊被吹翻了，
大风吹跑了许多动物。

待在那里的库特嘎尔巴斯，
连同他的战马，
摇摇晃晃地，不知所措，
被吹到了半天路程的远处。

恰那克睁开了眼睛，
筋疲力尽地看看手中的巨树。
树枝被折断，
树叶被扫落。
他的力气似乎也已经耗尽，
胸膛剧烈地一起一伏。

他舔着下嘴唇，
两眼怒视着赛依特。
赛依特没事人一样安然地在马上稳坐。

恰那克被深深地激怒了，
他大声地喊叫着：
“我要与赛依特继续交战！”
他急切地左盼右顾，
策马再次寻找梧桐树。

没等他转过身来，
勇猛的雄狮赛依特，
挺起长矛，向前刺去，
长矛刺中了对手的右侧腹部。

那长矛穿透肾脏，
刺穿了膀胱。

库特嘎尔巴斯被歼

高大的勇士恰那克，
重重地从犀牛背上跌落！

恰那克的那头犀牛，
凶猛地向赛依特扑去。
牛角撞到了土墩上，
那座土墩变成了深谷。

犀牛低着头又冲了过来，
像它的主人一样勇敢地面对对手。
它要用钢铁般的鼻子，
将赛依特碰得粉身碎骨。

就在犀牛坚硬的鼻子，
即将撞翻赛依特的那一刻，
刚毅的英雄赛依特，
从容应对毫不畏惧。
他伸手抓住犀牛的鼻子，
将它的前蹄凌空提起。

谁见过这惊心动魄的一幕啊，
因为承受过分的重量，
赛依特的骏马，
膝盖陷进了土地里！

赛依特扭住犀牛的头，
向下猛一用力，
犀牛脖子的骨头折断了，
翻身躺倒在地！

看到这一切的库特嘎尔巴斯，
大吃一惊心头冒出一股冷气。
他不由地暗自思忖，
内心开始算计。

“我要低头走到赛依特跟前去吗？
我向他问候向他乞求，
请求他把美女留下嫁我为妻？
率领我的部下俯首称臣，
继续坐我大汗的宝座？

“他不会杀死塔盘汗，
也不会杀死我。
赛依特是个说话算数的人，
说过的话他不会不承认。

“他从北方来，
为的是追赶美女。
谁向他要美女，
他都不会给。
如果我向他要美女，
他也绝不会给的。

“如果他把美女带走了，
这里的人会这样议论：
‘白净面皮的美女，
是你从男人那里抢过来的。
千里寻你她要嫁给你，
美女这样真切地表示。’

“美女从遥远的家乡来到这里，
如果我舍弃了她，
如果我把她给了赛依特，
天下人会嘲笑我的无能，
这令我怎能忍受！

“每个人的生命都很宝贵，
爱情比生命更珍贵无比。
如果我不顾美女对我的一片真心，
将美女送给了赛依特，

我屈从赛依特的强势，
必然受到世人的嘲笑和鄙夷。

“如果我还活在人世，
那些爱唠叨的女人和年轻人，
会轻看我，
无休无止地指责我，
我会忍受着巨大的精神折磨。

“与其这样偷生让人议论，
我还不如在战场上战死。
我有什么好怕的？
库木萨尔和美女，
还有塔盘汗都在我手里。
我手下还有几位大力士，
他们会帮我挡住赛依特这个强敌。

“如果指望不上大力士，
如果他们都被消灭了，
在流水的河畔，
在加西勒杰克地方，
黑、红、蓝肤色的部众，
总会想出好主意，
赛依特终将会落在我的手里。

“在赛依特追上我之前，
我最好快快地朝前赶路，
去到勇士铁特那里，
让他挡在第二道关口。

“他是一个黑肤色的英雄，
他是一个骁勇善战的勇士。
面对七万大军，
他不会胆怯不会退避。

“他善于用皮带投掷石头，
很远的目标也不会有闪失。
他善于拉弓射箭，
能射中一天路程以外的目标。
他善于投掷梭镖，
能击中半天路程以外的目标。
他擅长使用飞刀，
在他的刀下无人能脱逃。

“赛依特不了解他，
他是一个了不起的勇士。
铁特定能将赛依特战胜，
赛依特很快会落到我的手里。”

库特嘎尔巴斯如此盘算着，
他急忙上了路，
马蹄声一声比一声迅疾。

犀牛和恰那克，
都被赛依特夺去了性命。
带着锋利的长矛，
英雄骑着铁勒库荣骏马，
沿着其其汗苏尔的足迹追赶。

英雄赛依特上路了，
他忘记了刚刚结束的鏖战搏击。
他重新骑上骏马，精神抖擞，
像刚刚启程出战一样雄风依旧。

一路追赶着库特嘎尔巴斯，
马蹄声疾，风驰电掣。
他的战马早已习惯了，
这样迅疾地奔驰。

那一天，那一时，

与赛依特作对的人，
哪怕是乘着旋风，
也逃脱不了他的追击。
赛依特的骏马铁勒库荣，
气势昂扬，四蹄如飞，
像射出的箭一样迅猛无比。

仓皇逃跑的库特嘎尔巴斯，
很快就被追上了。
听到赛依特的马蹄声，
库特嘎尔巴斯的其其汗苏尔骏马，
胆怯地放慢了步子。

库特嘎尔巴斯回头一看，
天神钟爱的宠儿，
白毡帽的柯尔克孜人的福星，
英雄凯耐尼木的儿子，
眼看就追上来了，
仅有不到一箭的距离。
库特嘎尔巴斯东张西望，
他有点儿慌了手脚，
不知所措。

“如果我被追到一个长矛的距离，
我一定会被他杀死！”
库特嘎尔巴斯这样想着，
向第二道关口拼命地疾驰。

在一个叫吾提麦克肖尔的地方，
那是一片有山峦的戈壁。
如果越过了这个地方，
就会到达第二道关口，
勇士铁特守候在那里。

在那指定的地方，

勇士铁特心里分外着急：
“汗王库特嘎尔巴斯怎么还未见面，
是否已被赛依特杀害。”

铁特心中暗暗思忖：
“库特嘎尔巴斯对我十分信任，
严令我在这里把守，
截住赛依特的去路。

“难道赛依特不害怕我，
他会大摇大摆地来到这里？
即便他贸然来到，
怎能从我手中逃出？

“赛依特来不了这里，
他会不会被恰那克大力士吞噬。
恰那克如若战胜了赛依特，
他会以为自己是个了不起的大力士。

“我的武艺超过许多勇士，
库特嘎尔巴斯对我并不重视。
他不让我铁特把守第一关，
没能与赛依特交战，
是我终身的遗憾。”

“赶快挡住赛依特，
他就要追到这里！
不是我没有本事，
是我给你们创造了立功的机会。
杀死了赛依特，
我会重重地赏你！”

守在那里的铁特坐卧不宁，
没听见库特嘎尔巴斯急促的喊叫声。
他依然在山坡上转悠，

继续遨游在他的胡思乱想之中。

“赛依特如果被恰那克消灭了，
库特嘎尔巴斯会下达命令，
让我们乘胜打到塔拉斯去。
据说那里有个叫‘黄脸死神’的英雄，
他比任何人都难以对付。

“如果把杀死他的机会给了我，
我会建立不朽的业绩，
天下人都会记住我的名字。
除了我以外，
还有谁能把凯耐尼木杀死？

“我们占据了塔拉斯，
库特嘎尔巴斯会留在那里。
塔盘汗留在肖尔阔勒，
就会把加西勒杰克交给我。

“库特嘎尔巴斯是个善变的人，
但愿他不会改变主意！
但愿他不要把我留在身边，
应付塔拉斯的柯尔克孜！”

他思绪万千，
想了很多很多，
幻想的前景美妙无比。
他陷入美梦之中，
就是没想到自己会死。

这时候在北边的方向上，
他看到了一个身影，
那身影看起来很高大，
估计就是库特嘎尔巴斯的身影。

在他的后面，
又出现了一个身影。
这个身影来势凶猛，
好像一团燃烧的熊熊烈火迎风疾进。

遥远的天空，
闪电滑过，雷声隆隆，
好像要下大雨似的，
听到了呼啸的风声。
追来的人是赛依特，
他伴随着变幻的风云。

“勇士恰那克到哪里去了，
怎么不见他的踪影？
他是睡着了没有发觉，
还是害怕了，逃走了，
怎么消失得无影无踪？

“这个柯尔克孜的赛依特，
难道他有超过恰那克的本领？
不合群的高傲的恰那克，
是否已经抱着大地丧了命？”

勇士铁特思绪翻腾，
心中暗暗思忖。
“不管是怎样的情况，
我立功的机会终于来了！
这个一路杀来的柯尔克孜小子，
定将在我手中结束生命！”
他披上红色的斗篷，
拿上皮绳及弓箭。
他快速跨上大象，
准备上阵冲杀，气势汹汹。

这时候库特嘎尔巴斯喘了口粗气，

他威风凛凛地在马上坐稳：
“勇士铁特，请你看清，
我是你们的首领，
汗王的权杖在我手中。
我没有想到，
你们这些大力士还活着，
让我陷入这般困境！

“这个骁勇的柯尔克孜，
没有不敢做的事情！
自从你离开荒漠以后，
他杀死了塔尔塔克，
又向我发起挑衅。
我没有办法，
只好远远地逃遁。

“在炎热的夏天，
在伸手不见五指的黑夜，
我在人没有走过的路上疾驰。
在赛依特快要追上的时候，
我赶到了恰那克那里与他相逢。

“恰那克是一位勇士，
他像你一样勇气超人，
但他还是缺少一些本领。

“他的武器是那棵巨树，
挥舞起来格外骇人。
他挥动巨树，
转了好几圈。
周围的土崖倒了，
山上的石头滚落了，
所有的树木都掀翻了，
所有的动物都不见了。
大风刮着，

我被吹上了天空。
我落地的地方，
足有半天的路程！

“我带着镶着宝石的千里眼，
回头仔细观望。
眼前的情景，
赛依特和恰那克交战的场景，
我看得清清楚楚。
那个柯尔克孜人，
他有超人的智慧和本领，
算得上是一个智勇双全的英雄！

“他躲过了巨树的扑打，
转过身来握着长矛，
威风凛凛，向前冲锋。
长矛对准恰那克的腋窝刺去，
动作准确毫不留情！

“不等恰那克反击，
长矛又刺中了恰那克的喉咙。
恰那克索性拉住犀牛，
掉转牛头扭过身。

“这时那个赛依特又抽出利斧，
对准恰那克的太阳穴，
狠狠挥去，十分凶猛！

“当他抽回斧头的时候，
恰那克重重摔在地上，
沉重的身体令大地震动！

“恰那克的那头犀牛训练有素，
真是牲畜中的精灵。
它撒开四蹄奔跑而来，

低着头向赛依特猛冲。

“那个赛依特躲开了，
犀牛扑了个空。
它的牛角撞上一座山一样的土丘，
土丘竟然被牛角削平！

“啊，看来天神在保佑赛依特，
你看他有多么大的力气和神勇！
他躲过了犀牛的撞击，
用手抓住了牛的鼻子，
提起了牛头不让它前蹄着地。
然后用力一扭，
扭断了犀牛的脖颈。

“恰那克被杀死了，
犀牛也在他手中送了性命。
我把这些都告诉了你，
勇士铁特你千万千万要当心！”

“你不必害怕，
库特嘎尔巴斯汗王，
赛依特没那个能耐，
他逃不出我的手心！”

铁特听罢拔出箭羽，
搭在弓弦上，
他把另一支箭咬在口中，
他用力拉开了强弓。
利箭“嗖”的一声飞离弓弦，
弓弦发出“嗡嗡”的响声。

性格刚毅的赛依特，
他是本领超群的英雄。
他是玛纳斯的后代，

身后跟着众多祖先的英灵。

他警觉地站住了，
看到了铁特的身影。
皮肤黑，牙齿白，
他的模样不同凡人。
就在赛依特站住的一刻，
他听到了利箭飞来的响声。
箭杆末梢有一对铃铛，
清脆的声音穿越天空。

雄狮赛依特，
父辈个个都是超群的英雄。
从七岁开始，
他就学会了七十二种武功。

就在箭要到达的瞬间，
他挥动神矛轻轻一拨，
利箭改变方向飘向天空。
铁特又连放三箭，
没有一箭把赛依特射中。

铁特又舞动掷石带，
羊头一般大的石头飞了出去，
犹如打雷似的，
发出轰隆隆的响声。

握着斧头的雄狮，
紧盯着飞来的石头，
用斧背挡了过去。
石头被击成碎块四处飞溅，
反弹回来的一块碎石，
击中了铁特的一只眼睛。

受伤的铁特，

差一点从象背上跌落。
他尽量在象背上坐正，
睁开另一只未被击中的眼睛。

他被彻底激怒了，
怒火在胸中熊熊燃烧。
他鼓足勇气，
更加坚定了拼死决战的信心。

“我要吃了赛依特！”
他不在乎受伤的眼睛，
把六十六把飞刀一一使劲地甩出，
发泄着一腔愤怒。

赛依特把所有的飞刀，
都挡在了半空，
飞刀在地上堆了一层。
铁特又拿出梭镖，
把梭镖紧紧握在手中。

他不是握着梭镖，
与对手你来我往地交锋。
他把梭镖远远地抛出去，
用飞镖夺取对手的性命，
这是他独特的本领。

按照他的方式，
他把十二支梭镖一齐掷出。
梭镖在半空呼啸着，
发出刺耳的呼呼响声。

库特嘎尔巴斯在一旁观战，
以为梭镖会夺取赛依特的性命！

十二支梭镖排成一排，

一排的宽度超过一条长绳，
飞出的高度恰好到人的后背和前胸。

面对飞射而来的梭镖，
赛依特的战马警觉到了。
这匹训练有素的骏马，
是战马中的精灵。

它像神灵呼唤似的，
迅速卧倒在地。
十二支梭镖，
恰好飞过他们的头顶！

英雄赛依特策动骏马，
像黄羊似的朝铁特飞奔而来，
色尔神矛紧握在手中。
在蓝天白云下面，
在生长的绿草上面，
年轻的勇士赛依特，
像一只扑向猎物的神鹰。

英雄赛依特追上了铁特，
长矛刺入铁特的身体。
像崩塌的大山似的，
巨人铁特滚下大象。
不等他抬起头来，
赛依特举起斧头，
向铁特的头上砍去。
铁特的头颅被砍成两半，
鲜血在地上流淌。

奔跑着的红色大象，
朝勇士赛依特冲了过来。
它甩着鼻子向赛依特攻击时，
赛依特的骏马像兔子一样闪过。

不等奔跑的大象转过身躯，
赛依特操起门板一般宽的月牙斧，
朝大象颈椎狠狠砍去。
大象重重地倒了下去，
象头沉重地落进了泥土。

只一击，
勇士铁特扑向了大地；
又一击，
大象倒在土里。

无比气恼的库特嘎尔巴斯，
再也不忍心看下去。
他赶着其其汗苏尔骏马，
头也不回又慌张逃命，
像一只躲避老鹰的兔子。

不等他的身影从视线里消失，
不等他缓过神来获得喘息，
紧跟在他的身后，
英雄赛依特奋力追击。

库特嘎尔巴斯的心，
紧张得“怦怦”直跳，
他的屁股坐不稳马鞍，
一路拼命地狼狈逃跑。

“库特嘎尔巴斯还没有赶来，
他是否已消灭了赛依特，
这里已经没有了我的什么好事？”
把守第三关的塔坦勇士，
自言自语地边说边准备撤离。

“我的名字叫塔坦，

我的部下成千上万。
身为红肤色的人种，
库特嘎尔巴斯说了一声‘你去’，
我就急忙赶到了这里。

“在外面待了这么长时候，
睡觉时我没脱过外衣。
瞌睡时我没敢合上眼睛。
我四处张望，小心翼翼，
为什么不见库特嘎尔巴斯过来。
他是否已经消灭了赛依特？
如果他已经战胜了赛依特，
为什么到现在还没有消息？

“我还是到前面看一看，
如果他二人还在拼杀仍纠缠不已，
我请他把赛依特交给我，
我要让他看看我的本事！
我要让赛依特的血像水一样流，
让他死无葬身之地！

“如果库特嘎尔巴斯已战胜了对手，
我要找个借口，
靠近他的身体，
趁机杀死库特嘎尔巴斯，
让他死得不明不白。

“我还要杀死塔盘汗，
然后再娶那个美女。
我要享受她的温情，
欣赏她美丽的娇姿。

“塔盘汗的肖尔阔勒，
还有库特嘎尔巴斯的加西勒杰克，
让这些地方全都归我统领。

塔拉斯的柯尔克孜，
我也要把他们洗劫一空。
没了与我作对的人，
我就成了这里最高的首领。

“魔法师库木萨尔肯定会与我作对，
我恰好来到了这里。
这里有藏着他寄命符的芦苇，
如果我清除了他的寄命符，
就为自己除掉了宿敌！”

他自言自语地说着，
这位发了疯的狂人洋洋得意，
他好像已经成了大汗，
他的梦想好像已经变成了现实。

他跨上自己的坐骑，
举起铁锤，
向山坡上的那棵孤独的芦苇击去。
这棵芦苇被击得扁扁的。

从芦苇的叶片里，
突然跳出一条黑花蛇，
塔坦怕蛇，
他被吓得不知所措哭天喊地。

正在这时，
库特嘎尔巴斯赶来了，
两双眼睛在马上相遇。
“库特嘎尔巴斯快来救我，
一条黑花蛇，
它要把我吃进肚里！”

库特嘎尔巴斯在马上立定，
他想这也许是赛依特施的魔术。

他身上佩着可以砍杀骆驼的利刀，
他握住刀柄，
毫不犹豫地把刀从鞘中抽出。
他用刀刃对准了蛇的腰部，
挥刀奋力劈去。
顿时蛇血飞溅，
血花在空中飘舞。

那蛇头突然说出了人话，
它抽泣着这般诉说：
“不得好死的库特嘎尔巴斯，
你发了疯还是瞎了眼，
你杀死了我库木萨尔！
你这该死的塔坦，
你让我的尸体留在了荒郊野地！”

听了库木萨尔的话，
库特嘎尔巴斯一阵头晕眼花：
“我的末日到了，
这究竟是为什么？
我近来所做的事，
为什么都如此荒谬离奇？！”

他的心在战栗，
他的眼睛充满血丝，
他的头上没有晴空，
黑夜已将他笼罩在大地。

“如果塔坦制伏不了赛依特，
我只好与他对峙！”
他心中好似有一把火在燃烧，
库特嘎尔巴斯不由地唉声叹气。

正在这时，
赛依特追来了，

像一阵迅猛的疾风，
从远处的平地上刮起。

“快，塔坦，
你在哪里？
这个赶来的赛依特，
出手果断凶狠无比。
他会像宰杀一只小山羊一样，
毫不留情地将你杀死！”

听到库特嘎尔巴斯的呼唤，
塔坦愤慨地做好了准备。
他的心像蛇蝎一样毒辣，
他把铁锤紧握在手里。
骑着枣红的托布尔恰克马，
他表情冷酷一脸杀气。

像野兽似的大力士，
准备与赛依特一决生死。
塔坦的手腕上，
有两颗发光的宝石。
他抬起手腕时，
对手的双眼会失去视力。
他会趁机扑上去，
将对手置于死地。

他曾将不少大力士绑住，
带到汗王面前邀功领赐。
由此得到了库特嘎尔巴斯的赞赏，
获得了许多财宝和赞誉。

气势不凡的塔坦，
令许多勇士惊恐不已。
库特嘎尔巴斯暗自高兴：
“塔坦出场了，

他会取得胜利！”

不可一世的塔坦，
截住了赛依特的坐骑。
他挥起铁锤，
蹬住马镫站起来，
凶猛地向赛依特击去。

英雄赛依特盾牌的钉子被打落了，
几块碎片洒落在地。
塔坦手腕上的宝石闪烁，
赛依特眼前一片金花四射。
他勒马在原地踌躇，
动作稍有些迟疑。

库特嘎尔巴斯站在一旁，
为塔坦鼓劲打气。
塔坦匆忙举起铁锤，
再一次向赛依特头顶砸去。

好一个少年英雄赛依特，
他高呼着“玛纳斯”的口号，
不等对手的铁锤再次举起，
他敏捷地挺起长矛，
对着塔坦猛刺过去。

长矛不偏不斜，
刺中了塔坦的胳膊肘子。
牛犊大的肌肉被刺成几块，
鲜血顿时汩汩流出。
那夺命的铁锤，
“咚”的一声掉落在地。

不等塔坦抬手，
不等他把刀从刀鞘中抽出，

赛依特对准塔坦的右大腿，
又挺矛刺了过去。
羊头大的一块肌肉，
被刺中的矛尖甩了出去。

赛依特迅速抽回长矛，
对准他的左腰侧刺去。
接着他又向对手的脚和手，
还有对手的脖子，
连连刺了数枪，
矛头像闪电一般迅疾。

对手的六处地方，
都被赛依特刺中。
塔坦血肉模糊，
血流不止危在旦夕。

在他奄奄一息的时候，
赛依特把他永远留在了那里。
利索地制伏了塔坦，
赛依特英雄神清气爽，
又去追赶惊慌而逃的库特嘎尔巴斯。

塔盘汗欲投赛依特被库特嘎尔巴斯所杀

塔坦已经丧了命，
库特嘎尔巴斯就是钻到地下，
也逃不过惩处。
他朝着加西勒杰克的方向，
一路狂奔而去。
好不容易回到了自己的老窝，
惊魂未定的他喘着粗气。

从前，
他随心所欲地统治着百姓，
养尊处优，
颐指气使。
如今，
他虽然仍是大汗，
却像一只斗败了的公鸡。

六个老媪，
两个老翁，
一起迎接他，
向他问候，
向他施礼。

其中一个叫特尔特克的老者，
口齿利落，说话在理。
他已超过了八十岁，
将近九十岁的年纪。
他勒马站在库特嘎尔巴斯面前，
看着汗王有话要说。

“骑着一匹瘦马，
衣裳单薄，
你是谁?
有什么说的? ”

“我叫特尔特克，
我不隐瞒自己的名字。
库特嘎尔巴斯，
当着你的面，
我有些话不得不说给你听。

“你每天征兵，
逼人走上战场，
现在男人都快死光了。
进行这场恶战，
究竟是为了什么?
在这场战争中，
你又得到了什么?

“为了一个逃来的身份不明的姑娘，
你让许多百姓充当士卒。
你们聚集在一起，
也对付不了一个柯尔克孜勇士!

“她不是一个善良的姑娘，
她是个女魔，
是个魔法师，
吃完了她的父母，
她逃到了这里。

“塔盘汗是个大笨蛋，
你比塔盘汗更加愚蠢。
远道而来的那个男孩子，
他是不会说谎的。

"就是这个年轻人，
告诉了你们真相，
劝告你们不要被骗。
你和塔盘汗却都不放在心里，
驱赶着多少勇士血洒大地。

"听我的话，
库特嘎尔巴斯，
如果你还有良知，
赶快去向赛依特赔礼。
'出鞘的大刀，
不会砍向伸过去的脖子。'

"你不要不好意思，
把那个女子交出去。
你是加西勒杰克的主人，
塔盘汗是肖尔阔勒的主人，
你们可以继续坐自己的宝座。

"你娶过手巧的女人，
你娶过脸红的姑娘。
凡是长得好看的女人，
你都要从她的男人那里抢过来，
然后娶进家里。
像你这样的汗王，
百姓怎会拥护你？

"现在为了这个妖女，
你又让百姓血流不止。
如果你不迷途知返，
百姓们谁也不会容你。

"你的末日已经到了，
当你走进百姓家里，
他们会用石头和土疙瘩砸你。

女人会赶过来撕扯你的衣服，
小孩也会用指头指你。

“快回头吧！
听我劝，不要再犹豫。
把塔盘汗和妖女都送回去，
保护我们部落平安无事！”

听了这样的数落，
怒火从库特嘎尔巴斯心头升起：
“以特尔特克为首的这些人，
应该把他们统统杀死！
我要带领百姓，
与赛依特决战，
如果他们谁不听我的，
我就让他去死！

“看来这六个老媪，
两个老翁，
原来是百姓派来的！
赛依特的眼神是那样的迷人，
赛依特的话语刮进了他们的心里。

“如果赛依特来了，
他们会听他的。
他们会喊着口号，
向赛依特那里奔去，
甘心情愿地跪在他面前匍匐在地。

“我不能在加西勒杰克，
眼睁睁地成为孤家寡人，
成为百姓的奴隶。
让外人嘲笑，
让自己看不起自己！

“与其那样生活，
还不如依然照以前的想法去做事。
与神气的塔盘汗，
与黑眉毛的美女，
一起商量对付顽敌的妙计，
接受他们好的建议。

“如果有能力的话，
再与赛依特进行决战。
我要抓住巧依托隆，
还有塔帕克和塔孜哈拉。

“他们伙同赛依特，
折了我的腰，
动摇了我的根基。
跟随赛依特的人越来越多，
让我落到了今天这样的境地！”

库特嘎尔巴斯这样想着，
对赛依特和他的同伙充满了仇恨。
他不敢与赛依特对峙，
只好绕着部落的边缘逃避。

“老翁老媪聚在一起，
挡住我的路，
跟我讲道理。
‘你的时间不长了，
你的末日到了！’
他们这是威胁我，
他们这是诅咒我！”

库特嘎尔巴斯的心思，
被一个老媪猜着了。
她的名字叫作库布勒，
她又喊又叫，

提醒着库特嘎尔巴斯。

“啊！我的马驹，
库特嘎尔巴斯，
你在我手里出生，
你在我眼皮底下长大，
你快一点逃吧，
我的孩子！

“我看见了，
在不远的地方，
好像是地上，又像是在天上；
好像是天上，又像是在地上，
有一个人的影子。

“不对，我又仔细一看
好像是五个人的影子，
正在向我们这边飘移。
是不是柯尔克孜人来了，
要把我们统统杀死？！”

听了老妇人库布勒的话，
库特嘎尔巴斯心里发慌：
“我在逃跑之前，
赛依特只是一个人，
追寻着我的影子。
现在怎么变成了五个人，
是不是他变幻了手法，
使出了他的魔力？”

库特嘎尔巴斯这样想着，
唯恐躲闪不及。
他顾不上老媪和老翁，
催打着疲惫的战马，
惊慌失措地向远方逃去。

“塔盘汗、库木萨尔，
你们在哪里呢？
我们还有办法吗？
啊，我太不幸了，
我失去了勇士和魔法师还有美女！
但愿不要再遇上赛依特，
我得赶紧从这里撤离！”

他像一股旋风似的，
弓着身子，
紧贴着其其汗苏尔马的脖子。
他左一脚右一脚地拍打着马肚子，
上一下、下一下地挥着鞭子，
慌慌张张地没命地逃离。

在道路的拐弯处，
努力不留下马蹄的印子。
策马在河水里行走，
为的是消除逃跑的踪迹。
“我骗过了赛依特。”
库特嘎尔巴斯心中暗自得意。

赛依特迎面追来，
碰上两男六女八位老人聚在一起。
赛依特主动上前问候，
对上了年纪的老人他格外有礼。
老人们并排站着，
也向赛依特回了礼。

特尔特克开口说话，
换上了温和的语气：
“那个库特嘎尔巴斯，
刚刚从这里往前逃去。

“刚才我们几个人聚集在这里，
就在这危急的时候，
多亏这位聪明的库布勒急中生智，
为了吓唬库特嘎尔巴斯，
说是在他的身后有人追来了，
好像有五个人的影子。

“听到这话的库特嘎尔巴斯，
像受了惊的兔子。
他吓得像丢了魂一样，
顾不上东张西望，
慌慌张张地从这里逃离。

“他可能要走拐弯的路，
前面是条河流，
水下布满了石子，
如果他在水里逃走，
就看不见马蹄的印迹。

“你顺着河谷追去，
一定会找见他的踪迹。
他已经失去理智，
很可能会逃向塔盘汗那里。

“他抢了很多人的妻子，
又让很多人战死。
他要遭报应的，
老天会惩罚他的！”

赛依特点头致谢没有多说什么，
他策动骏马向前追去。
沿着马蹄印子跑了一程，
马蹄印子不见了，
消失在流动的河水里。
他沿着河水策马继续猛追，

不放弃胜利的时机。

追了两天一夜，
河水逐渐变少了，
露出了干涸的河床。
在朝着北面的方向，
出现了马蹄的印迹。

他不停歇地赶路，
走得人困马乏，
十分吃力。
走了整整八天路程，
来到一个似曾相识的地方，
其实他绕了一个很大的圈子。
巧依托隆以及其他同伴，
突然意外地出现在面前。

他们激动地欢呼着，
大家都聚在了一起。
在艰苦的战斗环境中，
亲人们意外会合，
所有的人沉浸在幸福欢乐之中。

巧依托隆说话了，
兴奋的心情无法掩饰：
“我们到处打听你的消息，
估计你会来到这里。
我们抄近路前来与你会合，
知道你正在追击库特嘎尔巴斯。

“据说库特嘎尔巴斯，
刚刚逃回到这里。
他面容憔悴，
垂头丧气。
已经过去很多天了，

库木萨尔突然不见了影子，
他默默地消失在人间，
这是一桩叫人捉摸不透的怪事。

“我们的雄狮啊，
我有一个小小的建议：
我们派一个人，
去到库特嘎尔巴斯那里，
义正词严地向他说明我们的来意。

“既然他又逃回了这里，
他仍然可以继续做这里的可汗。
只要他把狡诈的女魔交给我们，
我们不会留在这里。
派人到库特嘎尔巴斯那里去吧，
我们应探清他的虚实。”

听了巧依托隆的建议，
赛依特表示同意。
以阔努什拜为首，
派了三个人去见库特嘎尔巴斯。

在库特嘎尔巴斯的部落里，
果然见到了库特嘎尔巴斯。
阔努什拜从容地说出了下面的话，
话语不紧不慢，毫不客气。

“汗王塔盘汗，
汗王库特嘎尔巴斯，
你们被狡诈的女魔所骗，
不得已走上了战争的道路。

“多少人被伤害，
多少年轻的生命被断送。
多少人失去了亲人，

百姓陷入了悲痛之中。

“我不会说假话，
那个叫舒木拉依的女魔，
正在暗中偷偷地窥探，
观察着你俩的行动。

“她的父母和乡亲，
都被她吞进了肚子里。
因为我的寿期未到，
还幸运地活在人世。
节迪盖尔的百姓，
悄悄地逃到了凯耐尼木那里。

“听到节迪盖尔人诉说，
凯耐尼木怒火燃烧十分生气，
他要亲自找女魔舒木拉依算账。
‘你已经老了，
应该留在家里。’
赛依特把父母留下，
他独自踏上征程，
拯救苦难中的节迪盖尔百姓。

“女魔放出毒气想毒死英雄，
女魔施出魔法被英雄化解。
因为斗不过赛依特，
她狼狈地逃到了这里。

“她欺骗了塔盘汗，
因这个女魔的缘故，
许多大力士倒在血泊里。
握着小拳头的孩子在哭泣，
头发脱落的老人在叹息。

“等没剩下几个大力士的时候，

她又逃来投靠你库特嘎尔巴斯。
以库奈扎为首的十个大力士，
还有两位谋士和魔法师，
几万大军，几十位勇士，
都为此失去了生命，
他们的鲜血白白地染红了大地。

“只有巧依托隆和塔孜哈拉，
还有勇士塔帕克，
他们聪明地保全了自己的士卒。

“请你把女魔交给我们，
可以保证部落平安无事，
我们说到做到，
绝不出尔反尔，不讲信义。
塔盘汗和库特嘎尔巴斯啊！
你们身为汗王，
要对部落负责，
不能把百姓的生命当作儿戏！

“如果你们不想照我说的去做，
如果你们想毁灭自己，
如果你们还执迷不悟，
如果你们坚持与正义作对，
你们只好走进坟墓里。

“不要藏着掖着，
不要吞吞吐吐，
拿不定主意。
何去何从，
你们要速做决定。
不要说谎要讲真话，
把你们的想法统统说出！”

阔努什拜说完了，

库特嘎尔巴斯嘴里吐着雾气，
语气含含糊糊：
“好吧，你回去吧，
明天，我再回答你。”
交不交出女魔，
他并没有明确地表示。

这时阔努什拜站了起来，
话语更加严厉：
“加西勒杰克的汗王，
库特嘎尔巴斯！
多多少少我也在这里生活过，
出于对你负责，
我才来到了这里。

“到了如此地步你还摆起臭架子，
眼睛流露出蔑视的神情：
‘明天，我再说。’
你推三阻四，
毫无诚意！

“还有你，塔盘汗，
头发打结，胡子蓬乱，
像从洞穴中出来的一头熊似的，
你只能对库特嘎尔巴斯俯首称臣，
连连说：是的，是的！

“还有你，狡诈的女魔，
在节迪盖尔，
我们曾在同一部落，
我很清楚你的底细！
你不是人，
从来没干过好事。
你给各个部落，
带来了数不清的灾祸！”

他转过身子，
对着库特嘎尔巴斯：
“我们对你已经仁至义尽，
你想去死我不会为你惋惜！”
说完他招呼同行者：
“我们走！”
昂首离开了库特嘎尔巴斯的驻地。

阔努什拜走了，
舒木拉依赌气地退了出去。
听了阔努什拜的话，
库特嘎尔巴斯没有好气：
“塔盘汗，你蓬乱着头发和胡须，
瞪着眼睛，
像一只老山羊似的！

“你把这个女人带过来，
在我面前低头求乞，
说了许多叫人感动的话，
给我带来这么多倒霉的事！

“今天，我要娶美女，
塔盘汗，你不要介意！
明天，与赛依特交战，
谁知道谁会逃脱，
谁会战死？
趁着还没有死去，
我要办没办完的事！”

听了库特嘎尔巴斯的话语，
塔盘汗铁青着脸没有吭气。
他突然改变了主意：
“我要到赛依特那里去，
何必在你这里受气！”

他站起身来朝外走，
好话坏话都不说了，
不愿意理睬库特嘎尔巴斯。

“塔盘汗，你怎么了，
不回答我的话你就朝外走，
我刚才说的话，
你是同意还是不同意？”

塔盘汗站住了：
“我要说的话，
有我的道理。
为了一个女魔，
我来到你跟前，
我不得不低声下气。

“我没有跟她睡一个晚上，
因为到了一定年纪。
诡计多端的女魔，
她使手段骗了我。
到了紧要关头，
她施了魔法，
使我的那个东西无法挺起。

“这个女魔，
又进一步骗了你，
我亲眼所见，
你牵着她的手进了大帐。
你也没有得逞，
这个女魔很是得意。

“我想通了，
不再说了，
库特嘎尔巴斯，
我要去找赛依特。

我们已经没有了抵抗的能力，
除了去向他求和，
还能有什么好的法子？

“如果不交出这个女魔，
我们都会被消灭，
看起来向赛依特臣服，
是目前最好的出路！

“我塔盘汗要继续保住汗位，
我要继续留在自己的部落里。
阔努什拜说的没错，
他是转述赛依特的话，
赛依特是不会食言的！”

当塔盘汗正要离去时，
在后面偷听的女魔闪身而出！
“你说的这些，
塔盘汗，是真话，
还是开玩笑的？
我不明白，
你多变的心思！

“我没这样说过，
‘我要去乞求库特嘎尔巴斯。’
巧依托隆离去的那一天，
是你要向赛依特报仇，
主动要求投奔库特嘎尔巴斯的。
‘我要嫁给你。’
是你让我这样说的！

“把那个东西施了魔法，
让它失灵，
这是什么话，
你怎么这样无赖？！

“以库奈扎为首的十个大力士，
两位谋士，几十名勇士，
都被赛依特消灭了，
都是因为你这个老狐狸失算的缘故！

“你如今这样说话，
是想鼓动库特嘎尔巴斯，
想让他恨我，将我抛弃。
塔盘汗！这是不是你的目的？！

“不要让这个老狐狸胡说八道，
库特嘎尔巴斯大力士，
宰了他！让他立刻去死！”

“她对我有情意了！”
库特嘎尔巴斯十分得意。
他向塔盘汗招了招手，
夹带着几分气愤的语气：
“哎，塔盘汗，
你过来，不要信口开河，
想说的话想清楚了再说！”

塔盘汗十三岁就坐上了汗位，
曾有多少人，
对他俯首称臣，
曾有多少人，
辛辛苦苦为他做事！
库特嘎尔巴斯指名道姓地指责，
让他实在无法忍受这样的训斥。

“库特嘎尔巴斯，
这不是你身为汗王该说的话！”
塔盘汗气愤极了，
暴跳如雷地大叫大喊。

他的喊声能震裂石头，
他的喊声让高崖倾塌。
库特嘎尔巴斯偷偷抽出了腰刀，
他把腰刀紧握在手中。
不等塔盘汗转过身子，
库特嘎尔巴斯用刀把他劈成了两半。

女魔舒木拉依被活捉 库特嘎尔巴斯自杀身亡

不顾被杀的塔盘汗，
他挽着女魔的细腰，
重新回到汗位上，
坐在汗位上两眼呆呆地看着。

塔盘汗的士卒，
听说塔盘汗被杀了，
他们对库特嘎尔巴斯没有吱声，
悄悄地，
向赛依特的营地行进。

听说士卒们背叛而去，
库特嘎尔巴斯没有吭声，
他骑上战马前去镇压，
舒木拉依女魔与他同行。

“不能让塔盘汗的士兵，
向赛依特的营地逃跑。”
女魔站在路上，
对库特嘎尔巴斯大呼小叫。

阔努什拜正在巡逻，
换了一身作战的衣裳。
阿勒曼别特的丝绸网，
他随身携带在身上。

天还不是很亮的时候，
走在路上的女魔，
将身子扭来扭去，

库特嘎尔巴斯被歼

她走路的那个姿势，
被阔努什拜看得很清楚。
心中有数的阔努什拜，
悄悄地跟在她的后面。

他把阿勒曼别特的丝绸网，
一下子套在了女魔的头上。
狡诈的舒木拉依被套住了，
作恶多端的女魔被绑住了。
阔努什拜的辛苦，
终于有了回报！

在节迪盖尔无法生活，
在节提苏受尽煎熬。
女魔把阔努什拜践踏了多少年，
今天终于让她难逃罗网！

受苦的阔努什拜，
苦等了多少年，
今天终于把女魔捉住了！
是赛依特给他的帮助，
是玛纳斯的福星照耀！
四处漂泊的阔努什拜，
如今没有任何遗憾和烦恼。

远离故乡的阔努什拜，
用阿勒曼别特的丝绸网，
终于制伏了作恶多端的女魔！
在抓获了女魔的那一刻，
阔努什拜高呼着“玛纳斯”的口号。
他来到赛依特面前，
无比激动和自豪。

勇士巧依托隆和塔帕克，
还有塔孜哈拉都跑过来了，

勇士们禁不住欢呼雀跃。

阔努什拜把女魔舒木拉依牵进屋，
众人见到了女魔的真实面貌。
士兵们剪掉了她后颈的头发，
把她左耳用烧红的铁丝穿了洞，
照凯耐尼木所说的，
把她重新绑牢。

在节迪盖尔的部落，
当初抓获女魔时，
凯耐尼木的话儿，
赛依特没有一句一句记牢。
年轻人嘛，
没考虑那么多，
才使女魔侥幸脱逃。

追赶着塔盘汗，
遇见库特嘎尔巴斯这样的枭雄，
离开自己的故乡和亲人，
赛依特已与他们战斗了六个月，
他出生入死，
无比辛劳！

是命运的安排，
赛依特来到了这里降魔。
塔盘汗为自己的行为，
付出了生命的代价。
女魔作恶多端被捉住了，
她要受到应有的惩罚。

勇士赛依特嘱咐巧依托隆：
“带上塔孜哈拉，
到库特嘎尔巴斯那里去通报。
告诉库特嘎尔巴斯，

女魔被我们捉住了，
他也是瓮中之鳖，
无法脱逃失败的命运！

“告诉库特嘎尔巴斯，
让他好好思虑，
如果他还想当他的汗王，
如果他还想在自己的部落安心生存，
就来到我面前，
下马谢罪，悔过自新。

“为了一个女魔，
他挑起了战争，
他让多少士兵受到了伤害，
他让多少勇士丢掉了性命。
塔帕克的女人，
被他抢去了，
他在部落里干了多少坏事情！

“让他不要对女魔抱有幻想，
她已经被抓住了，
再不会四处煽风点火，
危害百姓。
他要请求宽恕，
才能保住自身的性命！”

巧依托隆和塔孜哈拉，
来到了库特嘎尔巴斯那里，
向他传达了赛依特的旨意。
库特嘎尔巴斯垂头丧气，
他半天没有说一句话，
瞪着双眼没有吭气。

巧依托隆和塔孜哈拉知道，
任性骄横的库特嘎尔巴斯，

对这些话实在不能容忍，
他内心充满了屈辱和仇恨。

转达了赛依特的话，
塔孜哈拉还不解恨，
他的话语讲得十分尖刻，
从头到尾都是指责和讥讽。

“勇士库特嘎尔巴斯，
你还是统治百姓的汗王吗？
你捂着胸口，
想一想你干过的事情！

“女魔和塔盘汗，
急迫地来向你求救，
你为此向赛依特宣战。
为了与塔盘汗争夺一个女妖精！
加西勒杰克的百姓，
被你推进了火坑。

“多少母亲失去了儿子，
多少妻子失去了丈夫！
多少年轻人在战场上，
为你献出了宝贵的生命！

“红脸蛋的小孩，
白胡须的老人，
年轻的媳妇，
多少白发苍苍的母亲，
都在怨恨你！
你像一只老公羊，
迈不动步子，
丧失了精神！

“在加西勒杰克作为首领，

你怎样对待自己的百姓？
你给他们带来了什么，
是数不清的苦难和不幸！

“为了满足你的欲望，
见到美女你都会牵进你的帐篷，
不管是结了婚的，
还是没有结婚的女人！

“巧依托隆的妹妹，
你把她从家里抢走。
塔帕克的女人，
你也毫不留情地抢走，
你让她们痛不欲生！

“加西勒杰克肥沃的土地，
才撑得起你的脸面和性命。
你还记得吗？
库特嘎尔巴斯！
‘我要与敌人交战，
我要在大象背上，
驮上他们的头和战利品！’
这可是你说的？
这是贪婪之人的狂妄之语，
你把贪婪装满了自己的心中。

“以前，
你是一团烈火；
现在，
你是一只断了翅膀的老鹰！

“你给无辜的百姓，
带来了无尽的灾难和苦痛！
你会受到女人的责骂，
你会遭到老人的嘲讽！

“赛依特让你继续当汗王，
这是给你面子，
让你保持父辈的光荣。
你早应该心平气和，
体会到他的一片好心！”

塔孜哈拉的话语，
传进了库特嘎尔巴斯的耳朵，
就像钉进他心中一根根铁钉。

像这样的话儿，
从母亲生下他至今，
库特嘎尔巴斯从来没有听过。
如果在戈壁，
他真想自杀；
如果在山前，
他真想碰死，倒地重生。

活生生的库特嘎尔巴斯，
听了这样的话，
一动不动。
他出了一身冷汗，
脸上布满了像要下雨的云雾。

“我要把塔孜哈拉和巧依托隆的头，
砍下来，方解心头之恨！”
就在他抓住斧头的那一刻，
突然传来了赛依特威严的声音：
“住手！库特嘎尔巴斯，
人不能像狗一样，不讲德行！

“你已经走到了死亡的边沿，
你已经失去了再战的能力，
你不要肆意逞能！

这里有广大的民众，
他们正在往这里靠拢，
他们不是随你来作战，
而是来清算你以往的罪行。

“巧依托隆你来当肖尔阔勒的汗王，
代替塔盘汗的位置，
管理百姓，
塔孜哈拉你来做大臣。

“在加西勒杰克的部落中，
有受人尊敬的塔帕克在，
可以处理眼前的事情。

“库特嘎尔巴斯既然不听忠言，
你们把他带过去，
交给加西勒杰克的百姓。
按照当地的传统，
让他们做出裁定。

“巧依托隆、塔帕克和塔孜哈拉，
我有一些话你们要仔细倾听：
战斗了六个月，
百姓们吃尽了苦头，
掉进了苦难的深渊。

“你们要鼓励民众织布、放牧，
想办法养活自己，
让百姓好好生活。
不要找借口向百姓要钱要物，
这两年的税赋，
不要向老百姓征收。

“这里的气候温暖湿润，
适于作物生长，

收成会格外丰盈；
这里的百姓都很忠厚老实，
他们朴实善良，
勤劳自尊。

“对待自己的百姓，
你们一定要宽厚为怀。
做一方百姓的汗王，
一定要有仁慈的心肠，
宽阔的胸怀。

“站在这里的库特嘎尔巴斯，
以前是统治一方的首领。
有什么话，
你们就说说吧，
不要在心里留下怨恨。

“塔帕克，
你要去的加西勒杰克，
我以前曾观察过，
那可是个好地方，
是一个很多人向往的去处。
那里的百姓很多，
去那里生活会受益一生。

“那里各种丰茂的牧草很多，
可以放养很多山羊和骆驼，
绵羊和马不宜在那里繁殖，
你们不必在这方面下很大功夫。
牛要好好饲养，
蚊子叮咬了牛奶就会挤不出。

“那里没见着公鹿和母鹿，
公羚羊和母羚羊倒很多，
它们的天敌，

是一群群的豺狼和老虎。

“肖尔阔勒的森林里，
有奔跑的狮子和老虎。
因无法逃避它们的侵害，
其他的动物就不是很多。
那里芦苇旺盛，
树林茂密，
那个地方贫瘠，
百姓困苦，
在那里生活困难会很多。

“不要因此去侵略其他的部落，
不要让敌人接近你的部落。
我对你们说的就是这些，
祝你们平安，
祝百姓幸福！”

当他正要掉转马头时，
“勇士，赛依特请留步，
我有话要说！”
库特嘎尔巴斯突然开了口。

“你讲了很多有道理的话，
让我把女魔交给你们，
让我平安地留在自己的部落，
继续度过自己的一生。
我没有听从你的规劝，
当塔盘汗想投奔你的时候，
我毫不留情地要了他的命。

“你让塔帕克做这里的汗王，
这是对我的惩罚和羞辱。
你这样对待我，
还不如让我死去，

我要你亲眼看着我自杀，
我不愿委屈地活着！”

“哎——
库特嘎尔巴斯，
你不要这么做！”
不等把话说完，
库特嘎尔巴斯，
拔刀毅然刺向了自己的心脏。
刀锋刺得很深很深，
顷刻之间结束自己的性命。

当库特嘎尔巴斯把刀刺向自己时，
百姓的脸上都露出了笑容，
他们像见到了光明似的感到欢欣。
所有的人都无比的高兴，
没有一个人为他难过惋惜，
没有一个人为他悲痛伤心。

这个世界就是这样，
善有善报，恶有恶报，
这是亘古不变的诫训。
不要为粪土般的财产和欲望拼命，
免得落得遗臭万年，声名狼藉。

这是天意啊，
做尽坏事的恶人，
必然要受到报应。
当坐上汗位，
掌握大权的时候，
一定要将百姓装在心中。

“看好绑着的舒木拉依女魔！”
勇士赛依特就要启程了，
百姓们都围了过来，

依依惜别，恋恋不舍。
他们捧着金子和银子，
向赛依特表达自己的一片心意。

对送来的金子和银子，
赛依特派人一一点清数字，
然后要求公平地分给百姓，
尤其要照顾老弱病残和贫困的民众。

无依无靠的人，
年迈的老人，
孤儿寡母，
还有部落里的勇士，
都蜂拥而至来到了这里。

“我要回去了，
你们不让我回去，
给我送来了金子和银子。
我赛依特是为追捕女魔而来，
降妖伏魔是玛纳斯子孙的使命，
我怎么会收你们的馈赠。

“去看塔盘汗和库特嘎尔巴斯的宝库，
不管还有多少财物藏在那里，
都分给大伙儿吧！
那原本就是大伙儿的，
要做到公正、公平、公开，
让每个人都感到心满意足！”

赛依特让人把金子和银子，
倒在一个平坦的场子，
把圈里的牲畜，
也赶到场子里。
让贫困的百姓，
都聚集在这里，

把所有的财物，
都公平地分到了大家手里。

没有人抱怨，
没有人喊“不够！不够”，
也没有人争抢。
大家依依不舍地送别赛依特，
共同举起双手为他祝福。

那个女魔舒木拉依，
她被牢牢地绑住。
她真没有办法了，
她真的山穷水尽了，
她真的到了世界的末日。

没有逃脱的办法，
她到了死到临头的时候。
“你们要嫁，
就把我嫁出去吧！”
她说完这句话，
眼泪就像决了堤的洪水一样一涌而出，
泪水洗涤了她身上的妖气。

流尽了眼泪的妖女，
她的魔法突然消失了，
变成了一个凡人姑娘，
呆呆地坐在那里。

英雄汗王玛纳斯，
传下来的美德，
流芳百世。
为了百姓的利益，
汗王们要竭尽全力。

节迪盖尔的百姓被解放了，

可以过上安逸平静的日子；
加西勒杰克的百姓，
也结束了库特嘎尔巴斯的欺凌。

父辈传下来的美德，
赛依特在年轻时就履行了，
“人不犯我，
我不犯人。”
父辈的规矩他牢记在心底。

强迫百姓的事，
他从来不做；
不劳而获的事，
他从来不做；
骗人的谎话，
他从来不说，
他从不违背自己的承诺。

对于来犯的敌人，
他从不退缩。
他不畏惧敌人，
不向敌人低头。
他尽自己所有的力量，
为百姓谋求幸福。

他心地善良为人正直，
他不欺负贫苦的人，
他一心一意消灭敌人，
将正义匡扶。

汗王之子赛依特，
马上加鞭返回塔拉斯。
我们把这些先放下，
就从他遗憾地不幸身亡，
那悲伤的事儿说起。

赛依特离世
遗腹子降生

赛依特不听父劝执意远行

听说赛依特回来了，
凯耐尼木高兴地从座位上站了起来。
他接受赛依特的建议，
他让人把舒木拉依带上来，
命令加曼拜娶她为妻，
准备把她嫁出去。

凯耐尼木曾经听说，
如果能把妖女抓获，
不要杀死她而改掉她的名字，
把她嫁给凡人为妻，
她的魔法会彻底失去，
但她也不会生儿育女。

为了让她断子绝孙，
给她取了库布勒凯的名字，
然后把她嫁给了加曼拜。
不杀死这位吃人的魔鬼，
这是对她的恩赐。

加曼拜是凯耐尼木的卫士，
他身材高大，
格外神气，
骑着马挺着胸，
守护在凯耐尼木身边尽心尽职。

作为高大魁伟的男子汉，
加曼拜非常特别。
他曾经接触过的五个女人，

都相继死去。
听说过这件事的女人们，
见到他都远远躲避。
加曼拜直到五十岁了，
还过着单身的日子。

托赛依特的福，
能娶库布勒凯为妻，
他十分欢喜。
他欢天喜地准备着，
想着激动人心的时刻早点开始。

铺褥子的晚上[1]，
女人们来到库布勒凯的新房外，
在她头发上系上叮当作响的银币，
她们轻轻地走过去偷听着里面的声息。

加曼拜忍不住，
向库布勒凯扑去。
此时的库布勒凯所有的筋骨都在痛，
鲜血染红了被褥，
她痛苦不已。

激情四射的加曼拜，
他的精力虽然十分旺盛，
但因库布勒凯是女魔之身，
她始终未能怀孕，
终身没有生育。

这个世界就是这样，
有许多事情难以令人如意。

"英雄之子赛依特，
是你毁了我的一生，
是你使我断子绝孙，

[1] 铺褥子的晚上：即洞房花烛夜。

这些都是你造成的，
你年纪轻轻地就会死去！”

库布勒凯诅咒着赛依特，
有时从夜晚直到天亮不停不息。
赛依特后来年轻身亡，
有人说是库布勒凯诅咒的。

雄狮之子赛依特，
不想在家里待着。
他从商队那里听到这样的消息：
“在巴尔阔勒和阿尔泰，
穿过哈萨克人居住的地方，
卡勒玛克人来到了那里。”

这样的消息，
让他再也难以坐住：
“从我的祖先开始，
柯尔克孜和哈萨克的领地，
卡勒玛克人不敢闯入，
一直以来都是这样的。

“从巩乃斯草原开始，
一直到玛纳斯河畔，
这里的山丘适合放牧，
柯尔克孜世代生活在那里。

“闻名的叶然卡比尔哈，
冬季放牧也很适宜。
卡勒玛克人来到这里，
不知他们究竟想干什么？

“阿斯曼湖周围的山丘，
被分割成两块地域，
公鹿和母鹿，

不能在那里自由地相聚。

“难道该死的卡勒玛克人，
打算侵占那里的牧地？！

“我要亲自去看一看，
这一切是否是真的？
如果卡勒玛克人只是和平地放牧，
彼此相安无事，
我看一看就回来。
如果卡勒玛克人真的侵占了此地，
我要将他们赶走，毫不客气。

“教训了他们之后，
还要驱赶他们离开这块宝地！
对入侵者不能置之不理。
我要得到父王的祝福再走，
不能随便离开宫殿，自行其是。”

赛依特来到父亲凯耐尼木面前，
他真诚地问候，
躬身施礼：
“我亲爱的父亲，
从商队那里，
我听说了很多的事。
在阿尔泰和巴尔阔勒，
我听说卡勒玛克人来了，
侵占了柯尔克孜和哈萨克人的领地。

“请您允许，
让我到那里去。
如果他们在临近的地方放牧，
我看一看很快就返回这里。
如果入侵的敌人来了，
我要把他们赶出去。

“我要把卡勒玛克人，
赶到康阿依那边去。
我要用尽全力，
把他们赶出我们的领地。
尔后我继续往前追赶，
我想到别依京去转一转，
看一看那里的风土人情。”

凯耐尼木闻后开了言，
说出的话儿分外精辟。

“如果你听我的话，
孩子，你不要去那里。
卡勒玛克人如果来了就来吧，
哈萨克人可能给了他们牧地。
如今卡勒玛克人不敢如此放肆，
更不敢侵犯柯尔克孜领地。

“如果卡勒玛克人入侵，
哈萨克人会传来消息。
‘我要到别依京去。’
赛依特，这样的话你现在不要说，
你不要轻率地到他们的京城去。

“别依京的事你知之甚少，
听我详详细细地讲给你：
别依京是天下闻名的大都市，
那里住着众多商贾平民，
那里有许多许多有趣的事。

“世间的平民百姓，
很多人还不清楚，
契丹的众多百姓，
占领着整个东方大地。

“那里有九十个部族之多，
人数众多的是契丹人。

“有六十个大门的别依京，
是契丹人的都城。
一个汗王从汗位上下来，
另一个汗王又坐上去。
他们子子孙孙做着首领，
没有改变执政的方式。
除了空吾尔巴依以外，
还没有人能战胜它，
它坚强地在东方屹立。

“有六十个大门的别依京，
有众多的百姓，
同呼吸，共命运。

“九十个部落的民众，
往往步调一致。
没有人敢侵犯他，
没有人能战胜他，
没有人敢与他对峙。

“那里的民众坚强不屈，
庄严地坚守着自己的领地。
他们不对别人说难听的话，
用道理说服人，
言行文明得体。
对敢于侵犯的敌人，
会进行有力地还击。

“‘我要去那里。’
你不要冲动。
没有去成，

你不要不服气。

“把世界分成三成的话，
他们就占了一成。
将军、都督是他们的首领，
一直以来，
有势力的大汗都出自那里。

“自古以来，
他们中出过很多大汗，
没有人敢贸然前去那里。
他们是不可动摇的民众，
侵略他们的人总是一败涂地。

“‘我要去别依京。’
这是你不成熟的想法，
你应该深思熟虑。
我把知道的都告诉你，
在没去以前听听那里的情况，
在没到之前要了解那里的人和事。
我曾经听去过那里的人说过，
知道一些那里的事。

“我们的父辈玛纳斯，
我也听说了，
传下来很多的故事，
虽然不是我亲眼所见，
我还记得详详细细，
就像是亲眼所见的。

“在契丹人统治的地方，
隐藏着很多难解的秘密。
我曾经骑着马走过千万里，
但没有在那里留下马蹄的印迹。

“我去过康阿依两次，
我没有到达契丹的领地。
我曾听去过那里的人说起，
在契丹人的南方，
那里有许多有意思的事。

“在那里太阳从水中冉冉升起，
那里的地域平坦辽阔，
海里的水是咸的！
从那里再往南方，
没有冬天，
都是温暖的气候。

“东方无边无际，
是辽阔的大海，
不知怎么形容，
不知怎么比拟。
我听众多人说起过，
河水的源头汹涌澎湃，
到了下游就变成了湖泊，
那大湖宽广而又美丽。

“南方有一条大河，
河水来自冰山，
水流汹涌湍急，
日夜不息。
大河很宽很宽，
一百个人手拉着手，
伸直胳膊也到不了对岸。

“为了方便人们过河，
河的岸边，
拴满了船只。

“据说境内有六条江河，

到了耕种和收获的季节，
河水不够用了，
人们就挖泉和打井，
地下的井水长流不息。

“漫山遍野郁郁葱葱，
山坡上长满了各种树木。
有很多野葡萄，
还有很多果树。
‘那里的百姓很知足，
没被采摘的果实，
他们依然把它留在枝头。’

“那里的人秋天种稻子，
天气不太冷，
稻子能够成熟。
一年十二个月里，
能种三次小麦，
三次都能有收获。

“长得很旺盛来不及收割的，
是准备做糖的甘蔗。
还有一种叫‘无花果’的特产，
那是神仙从天庭带到人间来的，
那是世上少有的珍贵水果。

“在别依京的许多地方，
生长着很多野果树，
凡是去过那里的人，
都会大饱口福。
那里安详生活的百姓，
都有自己生存的绝活。

“沼泽地里，
长着低矮的水草；

树林中，
生长着茂密的马奶草；
郁金香和仙人掌，
长得很旺盛；
野葱和胡萝卜，
长满了山坡。
莎莎草和克木孜地克草，
驼掌草和其木勒地克草，
在许多地方都能见到。

“各种各样的野果树，
生长在山谷的各个角落。
黑加仑和黑酸梅压弯了枝头，
枝头上还垂吊着苹果和野樱桃。
野鸭和水鸟在水面游荡，
大雁和鸭鹅在湖中鸣叫。

“水中有鱼，
渔翁在水中撒网捕捞。
鱼的品种和大小，
没有人说得清楚究竟有多少。

“那里的庭院，
上方是露天，
很宽敞别致，
四周的布局，
十分讲究，
错落有致。

“那是一个肥沃的地方啊，
栽植的树木，
常年翠绿，
树叶到了冬季，
也不会枯黄凋落。

“开挖的水渠，
像一条很宽的河流。
那里一派欣欣向荣的景象，
没有不如意的地方。

“那里的百姓勤劳朴实，
没有人轻易把他们招惹。
不会被战胜的原因有很多，
那里的百姓不缺少食物。

“他们不光吃绿色的草叶，
还把草根挖出来吃。
所有的饭都炒着蒸着炖着吃。
他们的吃法样式繁多，
这是没有人能战胜他们的原因之一。

“平原上也生长着多种树木，
柳树和红柳遮天蔽日。
松柏高耸入云，
山坡上绿草绒绒，
小河的流水流向凹处。

“茂密的森林，
被熊、老虎、狮子等野兽占据着；
山的深处，
被豹子和狼占据着；
戈壁和荒野，
乌龟、刺猬在那里居住着；
戈壁的边缘，
成群的鸵鸟像马群一样散布着；
树丛中有长角的公鹿，
山坡上有满身花纹的母鹿。

“豹子和羚羊在灌木丛中奔跑，
狐狸白天在山坡上游走。

荒野的黄羊遇到人会迎上来，
猎手举枪对着它们，
它们静静地站着，
对视着人的双目。

“身长五尺左右的水蛇，
常常被玩耍的孩子抓住。
水中游弋着发光的鱼，
还有欢快的水獭、野鸭和天鹅。

“紫草、甘草和大蓟，
阔依唐达依[1]、多恩孜斯日特[2]，
灰色蒿草、艾蒿和茵陈，
这样的草有很多很多。

“白色的马兰，
阿迪尔果得[3]，
克孜嘎勒达克[4]，
多种花儿开放了，
像丝绸手绢上好看的刺绣。

“当归、薄荷，
阿克库都勒[5]、库恰拉[6]，
西日阿勒精[7]和马木尔[8]，
盛产各种各样的草药。
白茶、绿茶、红茶和黑茶，
不仅味道芬芳，
还能提神、明目和开胃。

“在广阔无垠的荒漠上，
袋鼠、老鼠、黄鼠狼在那里生活。
有很多浩渺的湖水，
有很多高大的山脉在大地横卧。

“山中有蜿蜒的小道，

[1][2] 植物名，野草。

[3][4] 植物名，花卉。

[5][6][7][8] 植物名，草药。

那里有很多美丽的景物。
在山中竹林的深处，
还有人们很少见的熊猫，
更有很多叫不上名字的珍奇动物。

“那里有人难以翻越的高山，
山中埋藏着许多黄金和白银。
在一个叫‘霞阳’的地方，
住着很多卡勒玛克和契丹百姓。
那是个水草丰美的牧场，
生活在那里的人们都很富有。
贫困的人也有上千头牲畜，
富有的人养的骆驼比羊还多。

“把马奶当酒喝，
喝醉了畅快地在地上躺着。
人们都穿着漂亮的丝绸，
他们不骑马，
步行的人很多很多。

“他们不知道人总归要死吗？
怎么拥有那么多的财富！
富人要交税，
百姓中没有穷人，
人们普遍都很幸福富有。

“孩子，
不要冲动要安分守己，
不要向这样的百姓伸手。
我把听到的都告诉了你，
你要慎重思谋，
不要轻率迈出这一步。

“别依京的城市很美，
那里的人穿着十分讲究。

园子里种满鲜花，
房屋都用金子造就。

“人们说的‘王宫’，
有多层金碧辉煌的房子。
外面建造着厚厚的城墙，
挖了深深的壕沟。
旗杆上插着旌旗，
所有的房门都是木头做的，
不经首领的允许不能进入。

“雄伟的别依京繁华神秘，
一般的城市难以与它相比。
陌生人去那里会迷路，
住宿都找不到房子。
王宫里的宝座上坐着王，
除了都督和将军，
一般人去不了那里。

“宏大的别依京远近闻名，
我说也说不完那里有趣的事。
布谷鸟和百灵鸟生活在一起，
小燕子筑巢在有人住的房子里。
其他地方少见的孔雀和鹦鹉，
在别依京飞来飞去。

“森林里的野鸡在悠闲地漫步，
鹦鹉学着人的语言在争吵。
松鼠和旱獭一群一群，
出没在林间村野的小道。

“在那里除了不售生命，
其他什么东西都能买到。
那里市衢宽敞市民杂猱，
那里字号店铺鳞次栉比，

那里的市场十分繁荣。

“我听人说的就是这些，
孩子，你要记在心中，
不要轻易地动身去别依京。
你非要去别依京的话，
要了解清楚了再做最后的决定。

“上苍保佑我们，
自古以来，
别依京很少有人去过。

“气势宏伟的别依京，
那里有一望无际的平原和湖泊。
先者的车轮和战马没有到达过，
从来没有人将它战胜过。

“雄伟的别依京住的人很多，
契丹百姓精神焕发，
朝气蓬勃。
‘把人像羊一样赶出去看管，
到了晚上才返回来！’
这纯粹是道听途说。

“没有人敢去与之交战，
契丹人口众多。
没有人从自己的部落出发，
敢去将那里侵略。

“茹斯坦木、达斯坦都没有去过，
难道你比他们还厉害吗？
‘我要去别依京。’
不要轻易将不成熟的话儿说出口。

“无情的狂风在远方刮起，

也未能从康阿依山口翻过。
汹涌的洪水从山间冲出，
那里的百姓对此都不在乎。

“那千山万水有谁翻过？
只有伟大的玛纳斯雄狮翻过，
因为是熟悉路况的英雄，
阿勒曼别特带的路。
卡妮凯劝他，他不听，
去了之后，
终于没有得到好的结果。

“空吾尔巴依暗中下了毒手，
用月牙斧击中祖先玛纳斯的后颈。
他的伤没能治好，
结果遗憾地离开了人世。

“你的曾祖父赛麦台依，
想去进攻别依京，
开头就不顺利，
最终还是未能去成。
他被不懂规矩的对手击伤了腿，
因为腿痛，
跨不上坐骑。
经过深思熟虑之后，
他最终放弃了进军别依京。

“这样看来，
气势宏大的别依京，
你最好还是不要去的好。

“世上只有玛纳斯英雄去过那里，
用武力打败了空吾尔巴依，
迫使艾散汗签订了城下之盟，
最终他付出的代价格外得沉重！

“赛麦台依雄狮从未去过别依京。
不守信义的空吾尔巴依包藏祸心，
他曾经屡次偷袭塔拉斯，
每一次都被打得溃不成军，
双方还将互不侵犯的条约签订。
背信弃义的空吾尔巴依，
最终丢掉了自己的性命。

“如果你执意要骑着马去那里，
你便撕毁了当年双方汗王签下的合约，
你会受到祖宗的责备。”

听罢凯耐尼木如此这般的劝说，
去不去阿尔泰和别依京，
对年轻的赛依特来说，
成为一件费脑子的事情。

“听父亲说起别依京，
世上原来还有这么神奇的地方！
成千上万的人都想从那里走过，
如果不去那里看看，
会遗憾终身。

“铁木尔、茹斯坦木没有去过，
恰热西和依斯坎德尔，
也没有在那里留下足迹。
很多英明的先辈都没有去过，
就连那些圣人也没有去过。

“令人向往的别依京，
听父亲说有那么多有趣的事！
说那些人比我厉害，
他耐心劝阻我不让我前行。
越是没去过的地方我越想去，

要让我止步是件很难的事情。

“无情的狂风，
也未能从康阿依山口翻越。
照他这么说，
难道有魔法作祟？
我不是果断地战胜了，
那些厉害的魔法师吗？

“我是否连夜出发，
去做自己想做的事？
唉，不听父亲的告诫，
会给自己找麻烦的！”
年轻的赛依特犹豫了，
陷入思索，拿不定主意。

神奇的别依京，
时刻萦回在他心里。
年轻人总以为自己比别人强，
很容易自以为是。
锐气十足的赛依特，
心中始终放不下这件事。

两年过去了，
他还是记着别依京，
放不下那个朝思暮想的地方，
年轻人想事情太简单，
结果出了大事情。

赛依特不幸离世

“我要去别依京，
我的父亲可能已经忘记，
他不让我前去将我规劝。
我要不动声色地移动马蹄。”

突然有一天，
赛依特不让任何人发现，
把武器带在身边，
把祖先留下的神枪，
留在家中，
把闯将楚瓦克的塔什开勒铁枪，
横挎在肩上。

他骑上自己的骏马，
神气地出发了。
赛依特没有听父亲的规劝，
朝着阿尔泰的方向，
毅然决然地策马向前。

他始终忘不了，
去别依京的这件事情。
没有听父亲的告诫，
任性的赛依特，
丢下部落和民众，
自作主张地走了。
他不是在晚上，
而是在一天的中午时分。

“我要去阿尔泰。”

可他走的不是那条路。
“前往乌兰的道路，
我一定要找着！”
他又绕回来，
来到了去阿拉套[1]的路口。

他胯下的骏马，
本来行走时像隼鹰一般，
要追赶的目标总能追上。
今天它却汗流如注，
怎么吆喝驱赶它也不肯向前。

“它一定是累了。”
赛依特这么想着。
他从马背上下来，
用绊马索把马拴住。
独自站在高处，
他思绪万千，
心神不定，左顾右盼。

他俯首往下一看，
鹿和山羊在一起安详地卧着，
双双就在前面的山坡下面。

“让马歇息吧，
我要射杀那只灰色的公盘羊。”
他往枪膛里推上子弹，
瞄准了射击的目标，
把枪架在山石的凸处。

“瞄的是它的脖颈，
它会瞬间被杀死。”
他瞄准了猎物扣动了扳机。
一连扣动了五次扳机，
子弹在枪膛里动也没动，

[1] 阿拉套：山名，即天山。

没有一点儿声息。

“可能是子弹受潮了。”
他换上新的子弹，
把旧的子弹从枪膛里取出。
“不等它站起身来，
我就会射中山下的这只公盘羊！”

他扣动扳机再次射击，
还是没有打出火。
赛依特因为年轻，
什么事也不在乎。
这不是一杆普通的枪，
这是英雄楚瓦克留下的宝物。

事情不吉利，
赛依特没有察觉其中的隐秘。
他有点丧气，
有点窝火，
因为没有射中要射的猎物。

他不高兴地解开骏马的缰绳，
脸色发白，内心不悦。
他系紧了腰带，
整好了衣服，
朝着阿尔泰的方向，
赛依特又出发了。
鞭策着他的骏马，
匆匆地向前赶路。

他骑的骏马平时不知道累，
但今天却走得很慢很慢，
不肯迈开大步。
“这是怎么回事？”
他想了很久很久。

"我的事情好像不吉利，
是不是我该听父亲的话，
不该踏上去别依京的路？"

他转向回塔拉斯的方向，
踏上了回塔拉斯的道路。
原来不愿意迈步的骏马，
此时飞快地奔跑起来，精神抖擞。

像飞鸟一样贴着地面滑翔，
像扔出的石头一样一闪而过。
那骏马健步如飞，
勒紧缰绳也无法停住。

赛依特对它很不满意，
"去阿尔泰，
你很不愿意，
回塔拉斯你健步如飞，
怎么拉也拉不住。
你，你这该死的牲畜！"
赛依特气恼地挥动鞭子，
狠狠地抽打着坐骑。

赛依特终于赶到了，
苏萨米尔附近的一个山坡。
就在翻越这座山时，
从不失蹄的骏马，
像是谁磕着了它的蹄子似的，
突然摔倒了，身子向一旁侧卧。

赛依特从马背上滚落，
重重地摔了一个跟头。
他的头沾上了泥土，
身上背的神枪摔到了他的前头。

情急的赛依特，
捡起神枪怒不可遏。
他忘了子弹还一直装在枪膛里：
“该死的，你怎么了！”
他举起枪托，
向心爱的骏马身上砸去。

“啪”的一声巨响，
未退出膛的子弹从枪口射出。
枪口正好对着赛依特自己，
子弹击中了他的腹部！
鲜血汩汩地从身上流出。

他拥抱着大地倒下了，
倒在了那个令人叹息的山坡。
他才二十二岁啊，
不该这么早地从人间离去！

他曾机敏过人，
对敌人从不畏惧。
他的部落，
他的百姓无比痛苦，
赛依特将要向另一个世界走去。

赛依特十四岁那一年，
去到凯尔克提打抱不平。
自信倔强的赛依特，
完全没有理解，
父亲的一番苦心。

他如今未能如愿，
就要离开这个世界，
还带着终身的悔恨。
此时他躺在血泊中，

吃力地支撑着脆弱的生命。

他的坐骑铁勒库荣，
俯身向他靠近。
它焦急地用蹄子刨着土，
发出悲怆的嘶鸣。

“我是天生的骏马，
赛依特，
只有你能够驾驭我。
你是老虎，
无比神勇！
你就这样走了，
以后我还会载着谁奔上战场，
对敌人发起进攻？

“你不在了，
谁还会珍惜我，
将我当作一匹神骏？
谁会鞴好上等的鞍具，
我会与谁穿越众人，
冲锋陷阵？

“如果你去了，
我就没有了主人，
夏天和冬天都待在马棚里。
没有人将我放在心上，
我只能孤独地嘶鸣。

“他们会这样说：
‘铁勒库荣是倒霉的马，
是它吞噬了主人的性命！’
牧马人会这样看待：
‘铁勒库荣失去了主人，
它是一匹劣马，没有本领！’

“他们会冷眼对我：
‘给上一裙兜麦秆，
不要让它饿死就行！
这样的马还有什么用，
只好往没有人的地方去拴，
不要让它碍着人的眼睛！’

“谁会给我大麦饲料，
谁会每天抚摸我，
把我当作亲人？
谁会知道我奔跑如飞，
谁会知道我不凡的个性？

“在苏萨米尔的山谷，
谁会骑着我去草原驰骋？
牧马人将用毛绳拴着我的脖颈，
让我运送马奶，
整个夏天役使不停。
再不会像从前那样，
使我扬眉吐气，尽显威风。

“我的雄鹰啊，
如果你走了，
有谁会让我养精蓄锐？
我将失去铁掌，
我的关节会积水浮肿！

“你的奴隶会骑着我，
不顾我的劳累和疲惫，
让我的蹄子没有掌，
让我的背磨烂化脓，
让我的腰部皮肉穿孔！

“如果你去了，

我亲爱的主人，
谁能像你一样疼爱我，
把我当作最好的坐骑格外心疼！

“昨天，
在红沙漠的炎热中，
怕我灼伤，
怕我因此患病。
你派人在我身下铺上了褥子，
为我降温，为我护身。

“在那干枯的沙漠里，
你没让我感到干渴，
你让我喝足了水，
昂首朝前，
抖擞精神。

“高山一样的赛依特，
与敌人交战，
你让我显尽威风！

“你让敌人的血像水一样流，
你杀死了七个巨人。
有很多大力士与你对峙，
你从不迷惑或丧失勇气。
你不知疲倦地奔波，
战胜了多少敌人！

“你曾经骄傲地夸赞我：
‘你是我永不疲倦的神骏！’
这是你发自内心地把我肯定。
我被百姓认可了，
内心无比欢欣。

“我的主人，赛依特，

愿你高尚的灵魂与我同行。
我跌倒了，
你怪罪我，
你用枪托砸我的头。
我没有在你之前死去，
你的骏马怎能离开你独自前行！

“我的主人，赛依特，
你回来吧！
想想你的父母，
你的亲人，
你不能丢下你的部落和百姓。
我的主人，
你使我的世界变得窄小，
你使我失去了欢欣！

“我的主人，赛依特，
你的夫人克勒吉凯如果平安，
她会把我养好，
照料得十分尽心。
‘是赛依特心爱的坐骑。’
她把马鞍卸下来，
面对我她会格外伤心。

“我的主人，赛依特，
你已经离我们而去，
克勒吉凯也许会因此了却此生。
我也许会掉下悬崖，
摔得粉身碎骨。
我也许会四处漂泊，不知所终。
从此我再没有好日子过，
我想是这样的，
我会流泪伤心。

“我的主人，赛依特，

再睁开眼睛看一眼我吧，
我是你的铁勒库荣，
我是你的伙伴和仆从！”

赛依特的骏马伤心透了，
正在流泪痛哭的时分，
赛依特醒过来了，
他的伤口涌着鲜血，
闪着一双大大的眼睛。

“别了——
白毡帽的柯尔克孜！
我的百姓，
我的亲人。

“别了——
我的坎阔勒故乡！
辽阔的塔拉斯，
我出生的故地，
你精心养育我长大成人。
我的故乡，
我就要离开你，
我实在不能甘心！

“别了——
父辈留下的色尔城！
你是柯尔克孜的中心，
在你的怀抱中，
我成为一名英雄，
今天我就要离你而去，
我实在不能甘心！

“别了——
慈祥的父亲！
是你把我培养成雄鹰，

你把我像眼睛一样爱护。
自从来到这个人世，
你没有享过一天幸福。
为了我，
你腰弯背驼。

“别了——
我胸怀博大的父亲，
我再也见不到你慈爱的面孔！
听到我去世的消息，
你的眼泪会顺着髭须往下流。
你会变得瘦小，
你会万分难过。

“别了——
我尊敬的母亲！
怀我九个月，
疼痛了好几天，
好不容易才把我生下。
喂我奶，长夜不寐，
受了很多苦一天天把我养大。

“别了——
我可怜的母亲！
你为我操碎了心，
我却没能让你享上福。
在你年老时，
还要你为我伤心难过！
在你流泪的时候，
我不能陪伴在你的身边，
你一定会倍加痛苦。

“别了——
我慈祥的母亲！
你不知道啊，

我不想离开人世。
我爱我的父母，
如今我不得不离你而去！

“别了——
克勒吉凯，我的爱人！
年轻的时候，
在喀拉朵手里，
你等了很多年。
历经了多少艰难，
我们才走到了一起。
我们是患难与共生死相依的夫妻，
你是我镌刻在心中的终身伴侣。

“别了——
克勒吉凯，我的爱妻！
你的父亲是被我杀死的，
杀死了父亲，
娶走了女儿，
这一点我深感内疚。
但是这也事出无奈，
如不这样我们怎能走到一起！
你不会怪我吧，
我历经艰辛的爱妻。

“别了——
克勒吉凯，我永远不离不弃的爱妻！
你从遥远的地方来，
我们走到了一起。
在我与敌人交战的晚上，
一直等我归来的是你！
如今我走了，
留下你痛苦万分。

“别了——

克勒吉凯，我的时刻陪伴在身旁的爱妻！
男女结成姻缘，
一起陪伴，相互不离，
就像编织在一起的绳子。

“别了——
克勒吉凯，我的孤苦伶仃的爱妻！
我们没有留下一个后代，
有谁来陪你度晚年？
我痛心不已！
我走了，
我的爱人克勒吉凯，
在这个世界上孤独地留下了你。

“别了——
骑着枣骝马，
留着白白的胡子，
为百姓付出辛勤劳动，
早出晚归的老者，
赛依特要离你们而去！

“别了——
白毡帽的柯尔克孜，
老老少少，男男女女。
志同道合的人们，
风风雨雨，
我们在一起经历了多少磨砺！
赛依特始终与你们在一起！

“别了——
铁勒库荣，我的骏马！
不用鞭策就奋蹄腾飞，
像飞鸟一样地驰骋，
你是我克敌制胜的忠实伙计。
没有了主人，

没有人知道你的价值，
你没了以前那样的草料，
你没有用语言表达的能力。
别了，我的铁勒库荣，
我只能狠心地留下你！

“祖先留给我战斗的武器，
如今我将离它而去！
子弹穿不透，
利箭射不透，
钢刀砍不破，
长矛刺不透，
放在火里烧不着，
永远不会坏的我的盔甲和战袍。
啊！我去了，
只能遗憾地留下你！

“据说在著名的别依京，
由于卡勒玛克肆虐，
抢占了阿勒曼别特部族的土地。
他为了自己的尊严，
来到柯尔克孜的阿拉什，
来到了伟大的祖先玛纳斯身边。

“英勇智慧的阿勒曼别特，
您传下来的阿勒玛巴什神枪，
不论何时何地它都能百发百中，
射出的子弹威力无比。

“把阿勒玛巴什神枪挎在肩上，
是勇士才配有的荣誉。
用阿勒玛巴什神枪射击，
是人生的一大乐趣。

“解开魔法师的魔法，

具有神力的阿勒玛巴什神枪，
你随时都有神奇的功能。
你天下少有独一无二，
你威力无穷无与伦比！

“你是克敌制胜的利器，
你有逢凶化吉的神力，
古里斯坦将你送给父亲，
从此，你成为保护我们的圣物。

“我去了，
阿勒玛巴什神枪，
愿你继续为我们的后代立功，
你的威名将万世传颂。

“坎阔勒的上方有节提托尔，
你看那壮观的牧场，
花花绿绿的各种花草，
生机勃勃，随风飘荡，
如今我离你而去！

“高耸入云的阿拉套山，
是你养育我长大，
给了我一腔热血。
别了阿拉套，
我要离你而去！

“著名的巴尔阔勒湖和托尔特湖，
去了那里的人，
心情欢愉；
流浪的人，
会在那里定居；
贫困的人，
会在那里发迹。
别了，亲爱的大地，

我要离你而去！

“永别了，我的山，我的水！
金子的水，银子的水，
从雪山冰川流来的水，
犹如水银般流动的水；
白毡帽的柯尔克孜阿拉什人，
每天品味的甘甜的水，
我要离你们而去！

“一墩墩青草盘根错节，
一潭潭清水从中泛起。
一片片美丽的沼泽地，
我要离你们而去！

“还有那些同龄人，
我一起长大的知己。
永别了，我要离你们而去！
在荒原中偶然与你们相遇，
我们共患难一起战斗，
你们是我坚强的后盾和朋友。

“永别了，杰提力拜和阔克布卡，
我要离你们而去！
面对敌人的正面进攻，
你们大无畏地将他们消灭。
不管是骑马的，
还是步行的大力士，
你们都敢与他们交战，
勇敢地战胜敌人。

“当我无力时你们给我力量，
做我的后盾格外得力。
我向你们告别，
我走了，留下了你们！

“在喀拉朵的手里，
你们向苍天乞求着幸福，
始终没动摇挣脱吃人巨魔的决心，
在我到来之后你们才得到解脱。
像见到了自己的兄弟，
见到我时，
你们欢欣鼓舞。

“我们同呼吸共命运，
我们并肩战斗出生入死。
我们战胜了无数敌人，
勇敢地从死亡的红沙漠中走出。
还有阿勒特娜依和巧勒潘娜依，
我们要分开了，
你们在哪里？
我向你们告别！

“你的父亲被喀拉朵杀死，
你的母亲在荒野中去世。
你的父母都死了，
你在荒野受尽了苦难和磨砺。

“近年来，
在节迪盖尔部落当了首领，
你现在心情愉快，
生活幸福。
我的阿布勒，
我向你告别，
我走了，留下了你！

“永别了，繁花似锦的世界！
来到这个世界，
我还没来得及享福。
正是花儿一样开放的年纪，

我却要告别这个虚伪的世界！

“我没有留下后代，
我伤心难过如火焚烧！
赛依特还年轻啊，
就面临世界的末日！

“我上无兄长下无弟妹，
父母只生了我一个。
我独自一人就这样去了，
谁会照顾我年迈的双亲？

“从这个世上离开，
我的名字从此会消失。
我没有留下后代，
谁来传承我的名誉，
赛依特就这样遗憾地告别了人世！

“我才二十二岁，
没有见上父母最后一面，
没有机会当面向他们告别。
我有那么多心底的话语，
没有来得及向他们诉说，
这是我心中放不下的遗憾。

“就这样悄然地离世，
像大地上的尘埃一样在风中飘荡。
我的名字从此会消失，
像盐被溶入水里无声无息。

“我赛依特有很多很多遗憾，
我没有在战场上战死。
既然没有被敌人杀死，
就不该流出这么多的鲜血。
这样毫无价值地流血死去，

不如静静地在家里病死。

“没有听父亲的忠告，
才会有这样的结果！”
赛依特十分后悔，
不愿向人世告别。

“我的马没了主人，
我的双亲无人赡养，
父辈的业绩无人承袭。
我不愿意就这样告别人世，
让世人评说我的功过是非。”

当年轻的雄狮赛依特念叨着，
奄奄一息之际，
托什吐克的后代交达尔老人，
正好赶路经过这里。
恰好遇见了赛依特，
赛依特已快要断气。

“这是凯耐尼木的后代啊，
是赛依特勇士，
他被枪膛里的子弹射中了，
怎么会倒在了这里？！”
赛依特说不出话来，
已经快没了气力。

“如果把他留在这里，
上天也会怪罪我的。
凯耐尼木也许会说，
‘可能是你干的！’
他会让我受冤枉的。

“我要赶紧去塔拉斯，
报告这个惊人的消息。

凯耐尼木年轻时曾给过我很多帮助，
他遭到这样的不幸，
我怎能袖手旁观不言不语。

“勇敢的柯尔克孜人死了，
不能被乌鸦和秃鹰吃了！
我不要被人唾弃，
我要快点去报告这不幸的消息。

“遇见这样的大事，
如果我不快点禀报，
伟人玛纳斯的灵魂，
也会将我怪罪！”

交达尔老人这样想着，
向部落边缘的人告诉了消息。
“这是怎么回事，
怎么会出这样的事？！”
部落的人快马加鞭，
向凯耐尼木的色尔王城奔去。

白毡帽的柯尔克孜人听了，
大家都聚集在了一起。
男女老少都皱着眉头，
感觉眼前是一片灰暗的天地。
“怎么会有这样的事？！”
人们伤心难过痛哭流涕。

所有听到消息的人，
都向赛依特出事的方向赶去。
当人们来到赛依特跟前时，
站在他身边的那匹骏马，
水也不喝草也不吃，
流着眼泪注视着赛依特。

它四只蹄子一动不动，
静静站立在那里。
它好像在说：
“是我，把主人害死的。”

它守护着赛依特，
站在他身边，
忠实地肃立。
当看到人影时，
它发出长长的悲伤的嘶鸣，
那嘶鸣声撕心裂肺，
听到的人无不伤心落泪。

第一个赶到的人，
是汗宫里的奥润拜，
他弯着腰，
询问的声音一声比一声急。

“你怎么了，
不幸的青鬃狼？
你的父亲凯耐尼木，
你的母亲绮妮凯，
六十个部落的民众，
还有众多的阿拉什人，
都在等待着你回来！
你就这样匆匆地走了。

“你让他们怎么活下去？！
你让他们伤心落泪，
这到底是怎么回事？！”
他大哭着蹲下，
扶着赛依特，
泪眼迷离。

年轻的雄狮赛依特，

领会了长辈的意思，
他睁开了眼睛，
轻轻地说：
“是枪的子弹走了火，
我是不小心被自己射中的。

“英雄未能战死沙场，
却死在自己的枪口下面，
这是英雄的耻辱！
这是我终身的遗憾，
我对不起阿拉什民众！”

他再也没有说话，
这是他对世人的交代。
他眼前一片模糊，
眼球后移，
额头突然冒出了冷汗。
他脸色逐渐苍白，
呼吸十分困难。

在他挣扎的时候，
喉咙“嗝”地响了一下，
嘴里吐出了一丝青烟。
他渐渐地没了声息，
年轻的雄鹰告别了人世。

围着的人们，
不禁发出了震天的号哭。

看到人们悲伤的样子，
蓝天也受不了，
本来没有一丝儿乌云的晴天，
突然乌云密布，
天地突然漆黑一片，
伸手不见五指。
没有一丝儿风吹，
似乎令人窒息。

不知道是怎么回事，
所有的生灵都聚集在了一起，
流着眼泪，
默默地向英雄哀悼。
黑色的大地阴沉着脸，
被悲痛的气氛笼罩。

白天哭了，
夜晚哭了；
天上的月亮哭了，
天上的星星也哭了。

站在旁边的，
柯尔克孜百姓哭了；
天地间所有的生灵，
都痛苦地哭了。

地上长的草哭了，
白桦、白杨、柳树哭了。
巍巍的高山哭了，
奔腾不息的河水哭了，
泉水和沼泽哭了。

广阔的湖泊哭了，
干涸的荒漠哭了，
辽阔的草原哭了，
顶天立地的阿拉套山也哭了。
埋在地底下的先驱的灵魂，
也无法忍受地哭了。

这是一场灾难啊！
二十二岁的赛依特，
告别了六十个部落的阿拉什，
告别了这个世界。
雄狮从这个世界消失了，
似乎光明也从这个世界消失！
这个黑暗的世界，
将全体百姓推入水深火热！

太阳何时出来，
人们没有留意过；
风什么时候刮起，
人们没有留意过；
所有的百姓，
都为赛依特的离去伤心难过！

坎阔勒所有的百姓，
都聚集在了一处。
他们用铁勒库荣骏马，
驮着赛依特的尸体，
来到汗宫，
去见凯耐尼木。

老汗王凯耐尼木和绮妮凯，
他们的儿媳妇克勒吉凯，
都非常伤心，悲痛欲绝。

绮妮凯受不了，
她无限悲伤，
难受得心里流着血，
“我要死啊！”
她哭喊着，
抢去身边人身上的刀子。
同龄的男女紧紧抓着她的手，
深深地、动情地安慰着。

克勒吉凯用手指抓破了脸，
满脸血泪痛不欲生，
不知该怎样才能消解心中的悲戚。
她一直在悲伤地哭着：
“让我去死吧！”
她下着决心，
又有几分犹豫。
她怀着一个希望：
自己正在害喜，
悲伤和希冀一齐压在心底。

她头戴着黑色艾列旦克，
身穿着黑色丧服。
心里像箭矢穿过一样疼痛。
她披着头发，
背过身去，
向勇士赛依特，
诉说着无限的凄苦。

“年轻的赛依特，
你是一名勇士，

生命短，日子少。
你是我终身的伴侣，
你离开我去了！

“你是雄狮，
你是旌旗，
你是征服敌人的英雄。
你撒手离我而去，
我怎能舍得下你！
我们才短暂相处，
你就离我而去！

“我的雄狮，
对于来犯的敌人，
你是离弦的利箭，
你是出膛的子弹，
你是抵挡强敌的大山！

“我的靠山，
对于阿拉什民众，
你是平安之神。

“我的苏勒坦赛依特，
如今，
你走了，
留下我多么孤独！

“我的伴侣赛依特啊，
你是红红的火焰，
你是柯尔克孜的靠山。
你是高原的猛虎，
有你挺枪立马，
部众不担心敌人的侵犯。

“你是保护民众的汗王，

你就这样撒手而去，
入侵者来了我们该怎么办？

“我的雄鹰赛依特，
从少年时代你就跨上战马，
把百姓被掠的财物夺了回来，
重归他们所有。
为了百姓的利益，
你义无反顾，赴汤蹈火。

“性格开朗的赛依特，
你走了留下了我，
以后的路我该怎么走？

“年轻的雄狮啊，
你走了，
你的月牙斧谁磨砺？
谁来守护百姓？
谁来抵御外来的强敌？
谁来保卫白毡帽的柯尔克孜？

“我的赛依提汗王，
你是我终身相依的靠山。
你走了，
留下我该怎么办？
你把我也带走吧，
我要跟在你的身边！

“你走了，
年老的父亲怎么办，
谁来抚慰他的心灵？
有谁像你一样赡养他，
让他享受晚年的欢欣？
你是父母唯一的儿子，
你怎么能够如此忍心？

“用母乳喂养，
精心呵护你长大。
如今你离开了，
谁来报答慈祥的母亲，
谁来排解她无尽的伤痛？

“我腹中的胎儿，
是你留给家族的根。
上天赐予的他会是个男孩，
他会平安地降生。

“他会骑上你的骏马，
像你一样在沙场驰骋吗？
他会摆开阵势，
插上旌旗，
像他的爷爷一样英勇？
在先辈留下的塔拉斯，
他能否会成为当之无愧的汗王，
英勇无畏地将祖先的光荣继承？”

克勒吉凯哭诉着，
哭得格外伤心，
死去活来地号啕痛哭。
她的嗓子嘶哑了，
她再也哭不出声。
她的心力已经耗尽，
倒在地上陷入昏迷。

年老的绮妮凯，
哭得更是万分伤心：
“让人心里流血啊，
赛依特，我的儿子！
你把母亲留下自己走了，
你是母亲生命中的一盏灯！

在你受伤倒下的时候，
你没有倒在我的怀中，
我没有走而你却先走了。

“青鹰为雏鸟寻食而飞，
我可怜的儿子，
我想为你结束自己的生命！
白鹰为雏鸟寻食而飞，
我可怜的儿子，
我想为你舍弃宝贵的生命！

“在我腹中把你养了九个月，
忍受疼痛将你生下。
你却先走了把我留下，
怎么不叫人肝肠寸断痛苦万分！

“我用甘甜的母乳将你喂养，
我精心地把你抚养成人，
你却过早地离我而去。
我在天神面前做了什么孽，
苍天给我的惩罚为何这般沉重？！

“你少年时代就跨上战马英勇作战，
为了家乡受尽了苦难，
为了百姓不怕流血牺牲。
我的小鹰！
你就这样无声地走了，
我不能痛苦地留在世上。
让我跟你一起去吧，
我的赛依特，
我的生命！”

绮妮凯悲怆地哭叫着，
她哭得格外伤心。
她哭得嗓子嘶哑出不了声，

她哭得全身抽动。
“我要跟随他去！”
她捶胸顿足痛不欲生。

坚强的雄狮凯耐尼木，
来到她的身边，
百感交集：
“哎，没有记性的任性的老太婆，
赛依特不只是你的，
是我们两个人的。
他不仅是父母的，
也是柯尔克孜百姓的。

“不让你哭，
你不听，
你哭得昏天黑地，
能把过世的人哭活吗？
自古以来没有这样的事。

“阻止的话他不听，
规劝的话他不理会。
不只他本人，
连同百姓也要跟着受罪！

“不听首领的话，
部落会倒霉的；
不听汗王的话，
百姓会遭殃的；
不听老人的话，
年轻人会栽跟头的；
不听父亲的话，
孩子会不吉利的。

“我多次劝他：
‘你不要去。’

他就是不听。
‘不要去！不要去！！’
我把嘴唇都磨破了，
可他就是听不进去。
不听话不幸身亡，
叫人无限痛惜！

“在这个虚幻的世界，
谁会逃脱一死？
所有的生灵，
生存在世上，
生生死死。
神圣的人类，
没有一个人是长生不死的。

“曾经一时，
天下的事让神仙管理。
他们有优良的品德，
又有超人的能力。
他们像飞禽一样长有翅膀，
在天地间自由地飞来飞去。
你看，他们都照样死去，
如今也不见了他们的踪迹。

“在这个世界上，
一切都是上天的安排，
生死离别更不例外。
不听话而亡的赛依特，
难道他有永远不死的生命力？

“这么年轻他就过早地离世，
你不想一想，
任性的老太婆，
之前过世的伟人不知有多少年轻人，
难道我们的赛依特还能有什么例外？

“自从人类第一个祖先诞生以来，
生生死死的事情就不曾停歇。

“多少盖世英雄倒下去了，
多少突破重围的雄狮最终还是死了；
有多少富翁拥有过无数财富，
最终也离开了这个世界；
有多少贫民饥寒交迫，
也同样离开了这个世界。

“多少暴君虐待臣民，
最终也离开了这个世界；
多少公正的汗王受民众爱戴，
最终也照样离开了这个世界；
多少刚刚出生的婴儿，
也匆匆忙忙地离开了这个世界。

“老虎、狮子和雄鹰，
虫子、蚂蚁和蜘蛛，
有生命的生灵，
无论是强势的还是弱小的，
最终都要离开这个世界。

“不听前辈的话，
总归是要出事的。
你想想，
你的赛依特，
曾有过多少过失？
没有搞清阿尔泰的位置，
对一座无法征服的高山，
一点儿也不感到畏惧。

“赛依特是不是也有过错？
你想一想吧，

要冷静琢磨，
不要丧失理智。
要从悲伤中摆脱，
我任性的老太婆！

“啊，我的老太婆，
我再给你说说与此相近的事：
从契丹来的阿勒曼别特，
融入了柯尔克孜之间，
对我们的先祖玛纳斯，
讲了很多话，
说得很有道理。
我们的先祖玛纳斯，
没有听阿勒曼别特的话，
对空吾尔巴依放松了警惕，
结果被毒斧击中了颈部，
最终悲壮地离世。

“你的孩子赛依特，
不听长辈的劝说，十分固执。
我一想到这些，
觉得他怎么能不出事？
阿勒曼别特可不是一位平庸之辈，
他熟知过去未来的天下大事。
到头来他也在战斗中死去，
难道你的儿子比他还要有本事？

“我听说巴勒塔巨人的后代，
是楚瓦克勇士。
如果面对十万士卒，
他也毫不畏惧地应敌。
阿勒曼别特的嘱咐，
他当面答应了，
可是在战斗中忘得一干二净，
结果中弹死去。

你的儿子赛依特也不听话，
他的死也是早晚的事。

“阿勒曼别特千嘱咐万叮咛，
让色尔哈克千万记住。
机灵一世的色尔哈克，
也被空吾尔巴依蒙骗中计，
被奥恰古尔枪弹射死。

“你的儿子赛依特，
不满足于现实的生活，
不听前辈的劝阻，
冲动地自作主张去别依京，
结果就出了这样的大事。
这样的教训已经不少，
后代人一定要牢牢记取。

“我的糊涂的老太婆，
我再给你讲一讲我们祖先的事：
先祖玛纳斯不幸辞世，
我的祖父赛麦台依，
成了没有父亲的孩子。
曾祖母卡妮凯历尽千辛万苦，
将他养大成人。
他把整个世界不放在眼里，
对任何事情都不放在心里。

“对他母亲卡妮凯说的话，
许多他都没有听进去。
为此他遭到坎巧绕的谋害，
不仅葬送了来之不易的汗位，
还差一点丢掉了性命。

“这个世界，
时间在悄悄地飞逝，

天和地在移动着，
永不停息。
他们多少人虽已逝去，
这个世界的生活还在继续。
行善的一些人不在了，
作恶的一些人也不在了。
因为行善没能留住性命，
因为作恶也没能逃脱死亡。

“无论圣人还是凡人，
都会被死神请去。
所有的生灵，
都要离开这个世界。
难道你的儿子比他们厉害，
能在这个世界永驻？！

“聪慧的巴卡依老前辈，
他永远精神焕发，
他有过人的智慧。
他的个性很特别，
比所有的人都出色，
比所有的人都厉害。

“他帮助过很多人，
给很多人指明了方向，
给很多人以谆谆教诲。
伟大的玛纳斯得到他的辅佐，
一路走来，创造了过人的业绩令世人敬佩。

“我的老太婆，
你是否还记得，
在我们成亲后不久，
发生了一件惊天动地的奇事：
曾祖母卡妮凯和祖母阿依曲莱克，
以及祖父赛麦台依，

还有圣人巴卡依和古里斯坦，
他们似乎并没有死亡，
他们却结伴离开了人世。
他们跟随玛纳斯而去，
与大汗在一起生活。
那一天他们突然降临，
帮我们度过战斗中最艰难的时刻。
这可不是狂妄者虚构的，
是我们亲眼所见的。

“‘让父亲满意的人祝福多，
让母亲满意的人，
你就无愧于纯洁的母乳。’
如果父亲不满意，
孩子得不到幸福；
如果母亲不满意，
你就有负于纯洁的母乳。

“为男人服务让男人满意，
女人们付出纯洁的力气；
让丈夫满意的女人，
就像阿依曲莱克一样，
爱心永驻，名垂千古。

“索然迪克汗的阿勒曼别特，
在为阿拉什服务时，
听妻子阿茹凯说：
‘若有若无的我有一种感觉，
我好像有了身孕。’
阿勒曼别特很高兴：
‘苍天宽恕我，
赐给我孩子！
我们要用金子做腰带，
给他系上半个拳头大的结。’

“后来阿勒曼别特有了一个儿子，
那不是阿茹凯生的，
那是从契丹带来的厚礼，
那是艾散汗的女儿，
碧尔米斯卡勒所生。

“贤惠的母亲阿茹凯没有排斥他，
她给婴儿喂了第一口饭，
把腰带给他系上。
她厚待了这个孩子，
像自己亲生的一样。

“阿勒曼别特的这个后代，
是上天喜欢的一个孩子。
他头脑健康，四肢灵活，
面庞白净，没有一点儿斑迹。
他是很有学问的智者，
他是柯尔克孜几代汗王的良师。

“他不比父亲阿勒曼别特逊色，
是一位百姓拥戴的勇士。
虽然他已销声匿迹，
他的品质和名声，
至今依然流传不息。
这样的后代，
会把前辈的光荣继承和维系。

“多少勇士走过了这个世界，
先辈雄狮勇敢地走过了这个世界，
古里斯坦尘土飞扬地走过了这个世界，
赛麦台依握着旌旗走过了这个世界。
人怎能会不死呢?
在另一个世界，
人人都会受审。

“不听我的话，
赛依特离去了，
遗憾留在我的心里。
长生不老的人会有吗？
那只是世人一厢情愿的幻想。

“啊，我的老伴，
赛依特离去了，
我的心也在滴血，
我的内心其实比你还要难过！
你还是要坚强起来，
等待儿媳分娩的好消息。

“白天你唠唠叨叨，
哭哭啼啼，
晚上你悄声问一问儿媳：
‘儿媳你身怀有孕，
会不会是个儿子？’

“你要坚强，你要祈祷，
起来，你不要再哭泣，
你无法让儿子起死回生。
你要面对现实，
你要善待活着的儿媳！”

凯耐尼木反反复复地说着，
给人们留下了很多很多有哲理的话。
他把怨言讲给了老伴，
坚强的他对其他人没有半点责备。

“不要错过今天，
我们把赛依特交给大地。
大家都分头忙去吧，
不要聚集在这里。”

按照雄狮的吩咐，
人们隆重地料理了赛依特的后事。
带着慰问的饭食，
来到了凯耐尼木面前。

煮熟了肥美的羊肉，
把羊尾巴装满大盆，
带来慰问的大有人在；
把肥马放倒，
把马背上的肉，
还有马颈肉和内脏肉，
全部煮熟放在大盘里，
和盐水一起送来的大有人在。

他们是怀着悲伤的心情，
来做这些事的。
“凯耐尼木的独生子，
年纪轻轻地过早逝世，
我们都赶来为他送行，
谁也不会吝惜自己的牲畜。”

宰杀了驼羔，
宰杀了牛犊，
一个个木盆，
盛满了熟肉；
炸熟了的油饼，
堆成了小丘。

奔丧的人，
来了很多很多，
人们冲动地骑着快马一路狂奔。
前来的人有很多平民百姓，
还有各个部落的首领。

鬃毛茂密的牡马，

肚子鼓鼓的牝马，
这些牲畜被拴在一起，
密密麻麻令人看着眼花。

那些爱跑的，
让人追赶的马驹，
被专门的人小心翼翼地看管着。
驼峰坚挺，高高大大的成年骆驼，
没人骑过的出生不久的驼羔，
这样的牲畜也赶来了很多很多。

闪光的丝绸送来了，
名贵的裘皮送来了，
水獭皮长袍，
狐皮大衣，
都被人们送来了。

弯着腰的老者来了，
挺着肚的富翁来了，
风姿绰约的媳妇们来了，
强壮的小伙子来了，
妩媚的姑娘来了。
风流倜傥的先生来了，
戴着金耳环的巧手女人来了。
带着对逝者的哀悼和生者的慰唁，
人们成群结队前来参加葬礼。

老翁、老媪和中年人，
来到凯耐尼木和绮妮凯面前躬身致敬，
说着安慰的话，
表达着他们的一片深情。

年轻美貌的姑娘媳妇，
来到克勒吉凯面前泣不成声，
说着关心的话语，

表白着她们的深情和爱心。

所有的男人，
为赛依特的离去而伤心；
所有的女人，
为赛依特离世而哭泣。

赛依特的遗腹子降生

白发的绮妮凯，
受到老伴的责备，
听了很多安慰的话，
听了百姓讲的道理。
她特意赶到儿媳身边，
鼓励她，给她信心，
亲切地抚慰自己怀孕的儿媳。

克勒吉凯哭了很久很久，
她几次昏倒在地。
婆婆绮妮凯走近她，
靠近她，
挽着儿媳的胳膊与她并肩而坐：
“让人疼爱的克勒吉凯啊，
你是赛依特留下的遗孀，
我是赛依特的母亲，
我和你一样的悲伤。

“离开了赛依特，
你伤心欲绝，
你不思茶饭。
你的心情我理解，
我与你一样地肝肠寸断！

“‘我好像有了身孕。’
我曾听你说过一句令人欣慰的言语。
从此不论在温暖的房子，
还是在凉爽的草原，
我都默默祈祷急切企盼。

“为了这个，
我来到你的面前。
我想确切地知道，
你坦率地说一说，
不要对我隐瞒。

“如果你害喜了，
你就要知道保护自己，
否则会给大人和孩子带来风险。
我问的是心里话，
你不要对我的话感到厌烦。

“赛依特已经离开了人间，
我知道你伤心难过。
这是上天的召唤，
凡人不能违背上天的意愿。

“赛依特的爷爷是一个遗腹子，
后来他成了一个顶天立地的男子汉。
他在母亲的腹中孕育了三年，
他在母亲的保护下出生。

“这都是上天的安排，
凡人无法改变。
说出你的心里话吧，
不要对我隐瞒。
前面已看到山的影子，
到家的路不会很远很远。”

听了婆婆的劝慰，
克勒吉凯的心渐渐放晴。
智慧过人的女人，
终于想通了一个道理：
“现在怎么能退缩，

活着的人更要珍惜生命。

“婆婆急切地问怀孕的事，
我怎么能够隐瞒。
这是维系家族血脉的大事，
怎么可能掉以轻心。

“孩子在腹中怀了三年，
阿依曲莱克奶奶的传奇，
我曾经有所耳闻。
如果你不问怀孕的事，
我本想把胎儿一直保留在腹中。
保留他六年到七年，
再看情况而生。

“最近的这三个月整九十天，
当赛依特不在身边，
无论是白天还是夜晚，
我不想吃饭，
有时会有点恶心还心里泛酸。

“最近的许多个白天，
我不想吃饭；
最近的许多个夜晚，
我睡不着觉。
不知是怎么回事，
总是想吃老虎的心，
总是想吃阿勒普神鸟的蛋。

“不是想一个，
而是想着神鸟的两个蛋，
还想着森林中的老虎，
想着老虎的心，
有点儿嘴馋。

“想着这两种动物，
令人面容憔悴，
神情恍惚。
还想着在另一个世界的赛依特，
一直以来想的就是这些。

“婆婆你既然问了，
我就说了，没有隐瞒，
我说的是真的。
如果没有阿勒普神鸟的蛋，
如果没有老虎的心，
如果我吃不到这些，
不知腹中的胎儿能否保全。”

听克勒吉凯这么一说，
绮妮凯愣住了，
聪明的她想了想，
终于欣慰地笑了。

“昨天去凯尔克提时，
百姓们说起一件事情：
赛依特去了那个地方，
可能与阿勒普神鸟交上朋友，
可能与阿勒普神鸟建立了友情。
可能是神鸟给了信号，
让他去那里与神鸟欢聚，
这样会给我们带来好运。

“赛依特有一个挎包，
有时在马上，
有时背在身上，
神鸟的羽毛好像就装在其中。
我们打开看一看，
也可能会找到，
阿勒普神鸟的行踪。

“我突然想起了一件事，
那是你的公爹凯耐尼木，
为我带来的战利品，
是一枚神鹰的蛋，
怕它受潮，
我把蛋放在皮囊之中。

“记得你公爹历尽千辛万苦，
将我从你可恶的外公那里救回。
那时你外公将我化成水，
装在一个小瓶之中，
我的身体为此受到很大的伤痛。

“我恢复人形之后，
身体十分虚弱，
需要特殊的补养才能重生。
你祖母大力士库娅勒，
是世上闻名的除魔打虎的英雄，
她捕来老虎为我补气健身。

“我的婆婆库娅勒对我说，
送来的这些老虎的心，
连同血肉，一起晒干，
你要精心保存。
它是贵重的药物，
你吃不完的可以留着，
将来某一天也许有用。”

绮妮凯又叫人找来一个皮囊，
把系着的口开了封：
“克勒吉凯，孩子，
你翻一翻，寻一寻，
亲人们不会说假话，
袋子里也许能找到神鸟的信息。”

她把挎包交给了儿媳，
克勒吉凯伸出手，
在里面找寻。
找到了一根神鸟的羽毛，
它藏在皮囊的底层，
克勒吉凯曾听赛依特讲过，
听说过隐藏在这其中的隐情。

她把羽毛拿在手中，
放在火上轻轻一烤，
羽毛冒出青烟，
青烟萦绕，飘向天空。

天空突然暗了下来，
呼啸着刮起一阵大风。
一只巨大的神鸟出现了，
它挥舞着翅膀，
飞翔在坎阔勒和塔拉斯的上空。
看见的人都害怕了，
一个个都趴在地上，
没有一个敢站着的人。

凯耐尼木在以前，
也与神鸟结成了朋友。
神鸟在分别之时，
也曾将一支羽毛交给凯耐尼木，
相约有事时可在火上烤一烤羽毛，
神鸟就会来到面前，
替世人解除忧愁。

“你有话吗，
伟大的雄狮？
你匆忙召我前来，
眼前发生了什么事情，

请讲一讲你有什么要求。”

凯耐尼木愣住了，
他并没有用火烤神鸟的羽毛，
也没想到有什么事情，
不知该怎么说。

正在这时，
绮妮凯弯着腰走过来，
对神鸟开了口：
“我的儿媳害喜了，
想要一枚神鸟的蛋。
我们实在没有办法，
无奈之时才想请你帮忙。”

神鸟听了以后说：
“我愿意奉献，
如果你们需要，
为了我至爱的朋友世代相继有人，
我不惜任何牺牲，
哪怕是我的子嗣和生命。”

大风停息了，
天地安静了，
克勒吉凯的愿望实现了，
绮妮凯的心平静了。
“柯尔克孜人会强大起来，
柯尔克孜人有希望了！”

纯洁的神鸟，
又飞向了天空。
聚集起来的百姓议论纷纷：
“保护百姓的英雄赛依特去了，
实在令民众伤心。
神鸟来到了面前，

难道英雄玛纳斯的家族，
又有了保护民众的后人？！”

绮妮凯捧着鸟蛋，
走到克勒吉凯跟前。
绮妮凯又从箱子里，
取出七个老虎的心脏，
送到克勒吉凯的面前。

绮妮凯将鸟蛋煮熟，
剥去蛋壳掺了牛奶，
再放了一点盐，
趁热端给儿媳吃。

七个老虎的心脏，
煮熟了，切成小块。
七年没有生育的肥羊，
把它的油，抹在肉上，
把盐放得多一些，
再放些胡椒，
老虎的心脏就没了异味。

把肉送到克勒吉凯的面前，
克勒吉凯笑了笑，
暂时忘掉了离去的雄狮。
她握住勺子舀起老虎的心脏，
大口大口地往下吃。

吃蛋的时候，
她想起了心中的雄狮，
她停住了，
在婆婆面前害羞了，
她不由地低下了头。

绮妮凯觉察到了，

耐心地劝说儿媳：
“孕妇吃害喜的东西，
不能让外人看见。
让外人看见了，
不能满足自己的心愿。
快点吃吧，孩子，
还犹豫什么？

“说不定家里的女佣要进来，
说不定你的公爹也要来，
趁现在没有人，
赶快吃，赶快！”

听了绮妮凯的话，
克勒吉凯解除了顾虑。
她大口大口吃着，
吃光了她想吃的食物。

心智通灵的绮妮凯，
不由得想起了往事：
“我生赛依特的时候，
除了老虎的心，
其他的食物都不想吃。
儿媳为什么还想吃，
阿勒普神鸟的蛋。
凯耐尼木见多识广，
我去问他，这是为什么？”

她腰上缠着的围裙拖在地上，
弯着腰，喘着气，
快步来到凯耐尼木面前，
激动的泪水含在眼里：
“哎，凯耐尼木，
我的雄狮，
我想起一句话，

现在告诉你。

“很多女人生孩子，
都想吃一样喜欢的东西，
吃到了喜欢的食物，
才能生出个健康的孩子。

“听了你的话，
我暂时摆脱悲伤，
去了儿媳那里。
老虎的心脏，
阿勒普神鸟的蛋，
她说她特别想吃这两样东西。

“老虎的心脏有七块，
是当年婆婆交给我的。
婆婆给了多少，
我都带去了。
阿勒普神鸟誉满天下，
阿勒普神鸟送给的蛋，
我交到了她手里，
她见到了无比欢喜。

“你的儿媳妇，
竟然把两样东西都吃了，
老头子你说说，
这到底是怎么一回事？”

凯耐尼木听完这些话，
他的心里非常欣喜：
“老太婆你可知道，
咱们的儿媳克勒吉凯，
她的祖先辈辈都是汗王，
她很善良、正直，
她怀的孩子是双胞胎啊，

两个都是儿娃子！

“这两个孩子都不一般，
会是非常出色的勇士。
克勒吉凯先吃了老虎的心脏，
后吃了阿勒普神鸟的蛋。
他生下的两个男孩，
小的比大的更聪明，
小的比大的更出色。

“这对双胞胎兄弟，
从克日木到乌鲁木，
从日出的地方到日落的地方，
他们将走遍世界各地。
那些称雄欺压百姓的巨人，
全部都将被消灭，
白毡帽的柯尔克孜的尊严，
在他们手中得以维护。
他们将成为超凡的天下英雄，
敌人会像枯萎的草一样被铲除。

“我预计双胞胎哥哥，
寿命短，日子少。
预计他弟弟，
寿命长，日子长。
事情不少。

“啊，我的老伴，
你快到儿媳妇那里去，
孩子出生的那一天，
我要给他们起名字！
不给他们起一般的名字，
我要给他们起个别样的名字。”

听了凯耐尼木的话，

绮妮凯立刻来了精神，
她快快迈动双脚，
走向克勒吉凯的房门。

不让别人发觉，
不让她穿黑衣服。
不让她戴黑色艾列且克，
为了未出世的孙儿，
她精心地照看着自己的儿媳。

不让任何人发觉，
不让她伤心啼哭，
不让她系腰带，
她悄悄地呵护着儿媳。
给她提供了充足的营养，
不给她吃过多清寡的食物。
不让她多吃，
也不让她少吃，
给她吃适量的食物，
她悉心周到地照顾着她的儿媳。

定时陪她吃饭，
一日起码三次决不延迟。
绮妮凯日日夜夜，
守护着自己的儿媳，
从不离开她半步。

盼望早日见到赛依特的儿子，
克勒吉凯的眼泪，
每天都在暗暗地流，
眼泪常常把胸前的衣服湿透。

绮妮凯精心地照看着儿媳，
九个月过去了，
转眼又过去了九天时辰，

又再过了九天，
儿媳妇开始阵痛。
绮妮凯照看着产妇，
亲手为孩子接生。

先祖玛纳斯的神枪，
拿来挂在墙头。
她要让婴儿躺在枪身上，
这样可以为孩子辟邪祈福。

羊水破了，
一个男孩哭喊着在人世降临。
绮妮凯暂时忘记赛依特，
发出爽朗的笑声。
塔拉斯的大地发出轰轰的响声，
阳光明媚大地的生灵都在走动，
人间百花齐放，
喜爱唱歌的百灵鸟唱出美妙的歌声。

孩子在太阳初升的时候出生，
除了绮妮凯谁也没有把婴儿看清。
婴儿全身白里透红，
头发如同金子一样，
头顶的金发光亮柔顺。
皮肤像珍珠一样发着亮光，
婴儿的哭声分外响亮有劲。

听到婴儿哭声的敌人，
就像得疟疾的病人，
一直寒战不停，
半天不敢迈出家门。

坐在家里的凯耐尼木，
听到孩子的哭声，
他心里十分着急。

想早一点看到孙子，
他全身的热血奔流沸腾。

又过了许久，
到了中午时分，
克勒吉凯又一阵阵痛，
她收紧了身子，
努力使劲再使劲。

又一个男孩降生了，
他的降生与众不同。
标志着他是一个大力士，
带着胞衣一齐落在地上。
按照习俗剪开了胞衣，
婴儿发出清亮的哭声。

当赛依特的儿子降生时，
像得了病躺在家里的敌人，
不由得发出了痛苦的呻吟。
那些心地善良的人们，
好像喝了热汤，顿时温暖传遍全身。
塔拉斯无水的地方，
这时多处泉涌，泉水叮咚。
阿拉套山欣慰地挺立着，
山峰直指晴空。
坎阔勒塔拉斯的红花绿草，
都欣喜地挺直了腰身。

绮妮凯抱着两个男婴，
弯腰来到凯耐尼木面前，
满脸洋溢着幸福的笑容。
为了急于向老伴禀报喜讯，
她忘记了克勒吉凯，
把她独自留在了家中。

老天爷的安排，
谁会不服从？
没有人会长生不老，
最终都要朝着另一个世界前行。

生了赛依特的两个孩子，
克勒吉凯疲惫无力，
她放松了下来，
就在绮妮凯离开的时候，
她陷入昏迷之中。

看到孩子的凯耐尼木，
欣喜万分：
“好样的，儿媳妇！
来，老伴，
把两个孩子放在我的怀里。
把大的放在右边，
把小的放在左边。
你去看看儿媳的状况，
不要傻傻地站在这里！”

绮妮凯迈开步子，
向儿媳的房间跑去，
直到儿媳的房间跟前，
步子都没有放慢。

绮妮凯走进房门，
克勒吉凯的两只眼睛已经迷离，
她的脸上失去了光彩，
洁净的脸变得没有了生气。

“克勒吉凯！”
她大声呼喊着儿媳的名字。
克勒吉凯睁眼看了一下，
说不出话来，

脸上流露出恋恋不舍的样子。

慌张的绮妮凯，
把阿勒玛巴什神枪拿在手里：
“放在克勒吉凯的身上，
赶走身上的妖魔！”

“住手！”
一个声音在耳边响起，
她转身一看，
凯耐尼木站在那里。

“该钻进坟墓的死老太婆，
你老了，你要钻进地里！
身为女人，
你敢抓先祖玛纳斯的武器，
你这是怎么了，
你的智慧去了哪里？！”

听到了雄狮的声音，
克勒吉凯突然清醒了：
“这是公爹来了。”
她害羞地艰难地动了动身子。
疼痛难忍的身体，
收缩得越来越紧，
她恋恋不舍地停止了呼吸。

有谁见过啊，
像克勒吉凯这样美丽聪慧的女子？
她也未能摆脱死神，
就这样默默地离开了人世。

两个小孩出生是喜讯，
克勒吉凯死去让人悲痛。
儿媳妇一去不复返了，

凯耐尼木万分痛心：
“烧红的铁，
一头热，一头冷，
啊！从古到今，
好与坏，怎么总是形影不离？！”

到了傍晚时分，
门外突然走来了五个人：
两个人拿着蜡烛，
后面跟着三个人。

“这是什么人？”
凯耐尼木和绮妮凯，
惊奇地瞪大眼睛，
惶恐地看着来人。

卡妮凯走了进来，
光彩照人；
阿依曲莱克走了进来，
妩媚动人。
阿依曲莱克不是空手来的，
她提着好看的水壶，
胳膊上搭着白布，
还准备好了其他的用品。

婆媳俩给克勒吉凯洗了身子，
别人看不见她们的身影。
勇士古里巧绕，
拿来了塔比提[1]。
巴卡依和赛麦台依，
他们没有用手接触。

没有挖坟砌墓，
没有祭奠仪式，
阿依曲莱克她们带走了克勒吉凯，

[1] 塔比提：用于抬尸体的类似灵床的丧葬用具。

她们不知去了何方，去了何地？

除了凯耐尼木和绮妮凯，
其他的柯尔克孜的百姓，
没有人看见克勒吉凯的去向，
也没有人知道她的踪影。
“克勒吉凯到哪里去了？”
也没有人敢这样询问。

凯耐尼木坐下来了，
怀里抱着两个孩子，
他欣赏着令他骄傲的两个孙子：
左面的孩子，
全身布满了孔雀的羽毛和珍珠胎记，
脑后留着条条发辫。
他一点一点地数着，
孩子的发辫有九十四条，
他牢牢记在心里。

他数这些辫子的时候，
感觉到像火焰一样烫手。
凯耐尼木顿生这样的念头：
“这个孩子，
将来很可能死于中毒。
他的妻子会背叛他，
悄悄地将他毒死。
这都是上天注定的命运，
我又有什么办法挽救？”

右面的孩子，
他也数着发辫，
发辫共有二十五条，
像火炭一样触手炙热。
“这孩子二十五岁时，
可能会中弹离去。”

他念叨着这个数字。

“照前面说的，
我要给孩子取个别样的名字。”
他想了一遍又一遍，
用笔记着，
记了一次又一次。

“右面的孩子是长子，
你将是一位高贵的孩子，
你有一头金色发辫，
我要给你起名，
符合这个意思。

“左面的孩子是次子，
你是我永远的支柱，
你刘海具有宝石的颜色。
这个小子要成为坚强的孩子，
要符合这个意思。

“两个孩子，
哥哥叫阿斯勒巴拉[1]，
弟弟叫别克巴拉[2]，
这是我给他俩起的名字。”

后来阿斯勒巴拉叫成了阿斯勒巴恰，
别克巴拉叫成了别克巴恰，
这最初是敌人对他们的称呼，
后来就变成了他俩的名字。
本来的名字没有保留，
变成了别的称呼，
从此成为柯尔克孜的一种习俗。

凯耐尼木精心养育着孩子，
他嘴对着嘴喂养着孩子。

[1] 阿斯勒巴拉：意为高贵的孩子。

[2] 别克巴拉：意为坚强的孩子。

“我的气息流入了他们的筋骨，
他们长大了，
会像我一样有力气！

“两个孩子会成为首领，
称雄整个阿拉什。
谁与柯尔克孜为敌，
都会被他们消灭得干净彻底！”

绮妮凯抱着一对双胞胎，
更是疼爱不已。
是天神特别的安排，
虽然她上了点年纪，
两边的乳房突然饱满，
像流淌不息的泉水一样，
奶水十分充沛。

是上天保佑这两个小生命，
绮妮凯将香甜的奶水，
赐予两个失去双亲的孩子。

两个孩子像小山羊，
吮吸着绮妮凯的奶汁。
不辞辛苦的老奶奶，
白天夜晚，
喂他们奶水。
绮妮凯精心地抚养着两个孩子，
她头上的头发更白了，
眼角增添了几道深深的鱼尾纹。

就这样，
这一对双胞胎，
会玩耍了，
他们喜欢光着身子。

英雄史诗《玛纳斯》第五部，
《赛依特》就这样结束了。
我们将从为赛依特的双胞胎儿子，
举行盛大的入摇篮仪式开始，
再唱一唱《玛纳斯》第六部，
那将是更加精彩动人的故事。

后　记

中国柯尔克孜族英雄史诗《玛纳斯》第五部《赛依特》（1—2卷）由要力达西·塔哈依同志逐行直译，完成时间较早。汉译书写稿（手稿）交来后，汉译工作委员会办公室于2012年组织录入和汉柯对照。于2013年1月开始加工整理和统稿、初审、评审、修改、审定。于2015年7月送交新疆人民出版社。前后历经六个春秋，浸透了翻译校注、加工整理、统稿、审定人员和专家学者的心血和汗水，终于以绚丽的姿态与读者见面。

《赛依特》（1—2卷）译稿的汉柯对照，由朱玛克·卡德尔组织实施，对译文中的错、舛、漏和表述不清的语句进行了修改和补译，并加以注释。译稿的加工整理，由罗迎福承担。他在尊重原著内容和语言特点、艺术特色的前提下，反复认真推敲，对文字进行精心润色加工，提升了译文的文学水平。为了使该部和前四部在语言特点、诗句节奏、韵律修辞等风格上尽量保持一致，贺继宏对加工整理稿进行统稿，认真细致地下了一番功夫。为了保证译文和原著的一致性，朱玛克·卡德尔又反复进行了对照、审校。胡振华、赵国栋、张宏超、郭民杰、李瑞周等专家学者参与网上阅稿评审，在肯定译稿质量和水平的同时，提出了可贵的修改意见。

新疆人民出版社的编校人员按照新时代的编审要求，对译稿做了必要的修改，并请朱玛克·卡德尔、罗迎福、马雄福、贺继宏做了最后审定。

《玛纳斯》是千百年来柯尔克孜人民集体创作的不朽的优

秀文化遗产,《玛纳斯》汉文全译本的出版也是集体劳动的成果。在本书出版之际,我们向千百年来无数传承《玛纳斯》的玛纳斯奇表示敬仰和怀念,向几十年来参加《玛纳斯》调查、记录、整理、翻译及出版的工作人员,向关心《玛纳斯》工作的各级领导和专家学者们,表示诚挚的感谢!